人生的四大祕密

愛的祕密

The Ten Secrets of Abundant Love

亞當．傑克遜 (Adam J. Jackson)◎著　周思芸◎譯

我要向在我寫作這本書期間給予我協助的所有人致謝。特別是以下幾位：

我的版權代理人莎拉·麥古和她的助理喬治亞·格洛弗，謝謝他們為我所做的努力和種種的設想。

始終鼓勵我並給予我靈感的母親，引導我、鼓勵我的父親，和我親愛的家人與朋友們。

最後——我的妻子凱倫，也是我最親密的朋友和編輯。

她對我及我的工作充滿信心，再多的言語都無法表達我對她的愛。

目錄

世界上最好和最美的東西
是看不到和摸不到的……
它們只能被心靈感受到。

——海倫・凱勒

我們都渴望愛和被愛，都在尋找特別的關係。可是為什麼仍有這麼多人生活在孤寂中，無助而寂寞地尋找著愛情呢？假如我們如此渴望愛，為什麼離婚率和家庭破碎的案例逐年攀升呢？又為什麼城市中到處都是曠男怨女呢？有沒有可能是因為我們尋找愛情的方向錯了？

愛情並非命運或偶然所造成，也不是想墜入情網就能一蹴而就，愛情必須靠創造而得……而我們都有力量去創造。我們對愛與被愛的渴望與生俱來——不論我們是孑然一身，還是身處令人憂傷的三角關係——生命是有可能改變的，我們也具有改變的力量。

本書中的許多角色都是以現實生活裡的人物為藍本，只不過改變了他們的真實姓名。我希望他們的故事能對讀者有所幫助，正如他們激勵了我一樣。同時，我期望他們能提醒你這個訊息：生命是充滿了豐富的喜悅和愛情的旅程。

婚禮上的客人

他，一個年近三十的年輕男子，獨自坐在房間角落裡的一張桌子旁。誰都不會注意到這麼一個人的存在：普通的身高、體形和外貌，穿著黑色正式西裝，和房裡的其他男人沒什麼兩樣。

他獨自坐著，不主動跟別人交談，當然也沒有任何人前來跟他搭話。用餐時與他同桌的客人現在都已陸續走向舞池，害羞的年輕人因為沒有女伴，只好繼續坐在位子上冷眼旁觀舞會的進行。

這是一個花費不貲的豪華晚宴，在市中心最高級飯店裡的皇家宴會廳舉辦，香檳雞尾酒隨著六道菜肴送了上來，上菜間還穿插著七人爵士樂團現場伴奏的舞蹈。婚宴的呈現更是氣派非凡。

儘管一切如此華麗，這位年輕人卻無法沉醉在這種歡樂的氣氛中。他向來不善於交際，也不覺得和兩百個陌生人待在一個房間裡是件有趣的事。全場他唯一認識的人，就是今天的新郎——一個多年不見的老朋友，而他也相當驚訝自己會在邀請的名單上。

他看著他的朋友和新娘跳貼面舞，看著他們如此快樂，不禁羨慕起來，心中揣想著這種美事何時才會降臨到他身上。

「為什麼呢？」他暗忖，「其他人都可以安定下來，結婚、生小孩，可我卻無法跟任何女孩維持超過幾個月的關係？」

其實，他不是找不到女孩約會，最大的問題在於，很難找到適合的女孩來維持一段持久的關係，並讓他興起共度餘生的念頭。

有時候，光是想到自己的情況就讓他沮喪不已。他想，自己一定是有哪裡不對勁，才無法擁有一段持久穩定的愛情關係。但有時他又會告訴自己，他只是不夠幸運而已。也許，就如同朋友們告訴他的，愛情是一種命定的緣分，總有一天會發生，人是無法改變命運的。這聽起來真是毫無助益，不過，事實又好像的確如此。

他想起了兩年前的一段戀愛經驗，讓他真切體會到愛情的滋味，深深陶醉在愛河裡。然而，那段戀情卻只短暫地維持了三個月。

失戀之後他真是傷心透了，茶飯不思，輾轉難眠了許久。至今，他仍深刻地記得那種傷痛。之後，他就決定再也不要讓自己被愛傷得這般嚴重了。

現在，他坐在那兒，看著婚宴裡的一對對佳偶，有的手挽著手坐在一起談笑風生，有的高興地手舞足蹈、引吭高歌。他告訴自己，還是單身最好吧！畢竟，有多少關係能夠真的維持下來呢？有多少人能夠永遠在一起呢？單身至少不用去忍受分離與失落的痛苦，也可以無拘無束地來去自由。

就在舞池中央，一對老夫婦緊緊相擁，深情微笑地看著對方的眼睛。這個年輕人目不轉睛地看著他們跳舞，心裡不禁想道，有沒有可能會有奇蹟出現，某個人正在某處等待著他？

相遇

「你自己一個人嗎？」

年輕人聞聲轉頭，看到一個中國老人站在他身旁。是一位瘦小的長者，鬢髮蒼白，頭髮幾乎全禿，眼睛是棕色的，正微笑著看著他。和宴會裡其他客人一樣，老人穿著黑色的晚宴西裝、白襯衫，打著黑色蝴蝶領結。

「是的，我一個人。」年輕人帶著微笑答道。

「我也是。」老人說，「不介意我加入你吧？」

「不介意。」年輕人回答。

「很棒的婚禮，是吧？」

年輕人聳聳肩，不置可否地說：「如果你喜歡的話。」

「怎麼？你不喜歡這樣的婚宴嗎？」老人問道。

「這種事看起來多少像個鬧劇，不是嗎？」年輕人把身子向後慵懶地靠著椅背。

「哪種事?」中國老人問。

「婚姻啊!」

「兩個不相愛的人結婚，才算是個鬧劇。」老人說。

「愛?!」年輕人喊道，「什麼叫愛?人們總是隨便愛來愛去，一開始他們為對方奉獻自己，後來卻演變到無法再多看對方一眼。如果你問我的意見，」年輕人繼續說，「我會說，愛只會造成悲慘和傷心。」

「這麼說太憤世嫉俗了。」老人說，「對愛情持有這樣的觀念，會是你這輩子所犯的最大錯誤。以我為例吧，在我已接近生命盡頭的這把年紀，就會發現，生命中唯一有重大意義的事情，就是你曾付出和得到的愛。在你邁向另一個世界時，你唯一能帶走的就是愛，而你唯一能留下的也是愛，沒有別的。我看到很多人可以輕易承受生命中的各種苦難，卻還不曾發現有誰可以忍受一生都缺少愛。

「這就是為什麼愛是生命中最偉大的禮物，」老人繼續解釋道，「它為你的生命帶來意義，使生命值得延續下去。」

「是嗎?我不這麼確定。」年輕人喃喃自語。

「為什麼不啊？」老人問道。

年輕人沉默了半晌，然後答道：「你知道我是怎麼想的嗎？我認為戀愛只是一種浪漫的神話，我們都被它牽著鼻子走，還堅信總有一天會碰到某人而陷入熱戀。但這種情況卻很少發生，就算真的發生了，也不會持久的。」

「嗯……我明白，」老人說，「當然！你完全正確，戀愛是一個浪漫的神話。不過，我想……」老人凝神想了一會兒之後，搖搖頭說：「不！不！不！愛不是等著我們掉進去的陷阱，愛是我們創造的。人們把戀愛這件事情想錯了，想像有一天走在路上，看到某個人，然後『砰！』一聲，就撞到愛情了。但那不是愛。」

「那是什麼呢？」年輕人問道。

「那是生理的吸引力，是迷戀，絕對不是愛！當然啦！愛可能在身體的相互吸引力中成長，但真愛絕對不只是生理的。對於愛——真愛，你必須去瞭解一個人，進而真正地尊重他，真誠地為他著想。就像蘋果派。」

「蘋果派！什麼意思？」年輕人問道。

「你覺得可以光憑外表就知道一個蘋果派好不好吃嗎？」老人說。

「當然不行！我得吃吃看才知道。」年輕人說。

「這樣說就對了。換言之，你必須瞭解內在是不是跟外在一樣好，對不對？」

「是的。」

「人也是一樣的。」老人解釋道，「你不能光憑外表長相就判斷一個人的好壞，你必須明白他的內在本性、精神和靈魂等特質，才有可能全心全意地愛上對方。這些都是眼睛看不到的。在愛情裡面，你只有用心才能領會真情之所在。能不能持久的關鍵就在這裡了。愛情關係不是偶遇，不是電光火石間就發生的，也不是運氣的問題，而是需要培養和經營的。」

「那怎麼做才行呢？」年輕人問道。

「在我童年的時候，媽媽教給我一則愛的黃金定律。」老人繼續說，「她總是這麼告訴我：『如果你希望被愛，就先去愛。很簡單。』任何人都有愛、被愛，以及在生活中創造愛的關係的能力。所以，如果有人要選擇活在沒有愛的生命裡，是件多麼悲哀的事啊！」

「你怎麼能這麼說呢？」年輕人辯解道，「怎麼會有人選擇活在沒有愛的生命裡呢？」

老人直視年輕人的雙眸回答道：「有人會寧願選擇不要愛，也不願承受因為分離和失落而導致的痛苦，而去勇敢地愛。」

年輕人霎時紅了臉，喉嚨一陣緊縮。他覺得很不自在，彷彿自己是個透明人，讓人看透他的心了。

「我向你保證，」老人說，「愛是任何人都有可能得到的，只是我們必須去選擇。」老人用手指向鄰桌正在激烈爭辯的一對伴侶，「你看那一對，就是一個例子：兩個人都爭著辯贏對方，甚於要贏得愛。其實，生命充滿了選擇，我們可以選擇勝利，也可以選擇愛；我們可以選擇原諒，也可以選擇報復；我們可以選擇獨自一人，也可以選擇有伴侶。這些全都跟選擇有關。有些人的生命裡有關係，卻沒有愛，這是很常見的，他們決定了一段關係的狀態。」

「人們決定自己的選擇權。」年輕人喃喃說著。

「當然！你的命運，或者你所處的狀態，都是你自己造成的。你是單身還是擁有伴侶；擁有快樂還是悲傷的關係，都只有一種原因，那就是自己的選擇。如果你不希望生命是與寂寞為伴的，那麼就用自己的力量來避免。

「很多人都以為，在別人身上發現愛的時候，自己的生活才有了愛。他們認為，只要那個適合的人進入他們的生命中，他們就可以馬上體驗到愛。事實卻是，他們永遠不可能從其他人身上發現愛，除非他們先在自己的身上找到愛。」老人繼續說，「所謂的『關係』並不會帶給我們愛的感覺，反而是我們把愛帶入『關係』。當我們能夠付出愛，愛的關係自然隨之而來。所以我才會說，每個人都可以愛和被愛，而且，不管在何種生命狀態下，人人都可以經營愛的關係。」

「可能是吧！」年輕人猶疑地說，「但你還是得夠幸運才行啊！幸運之神沒有降臨，就很難碰到與你合適的人，不是嗎？」

「幸運不在愛的方程式裡面。」老人說，「幸運與否不會影響一個人有沒有愛的關係。」

「也就是說，所謂的愛情是上天註定的。」年輕人回道。

老人微笑地看著他，緩緩說道：「命運會幫你一把的，可是你也得扮演好自己的角色才行。你想碰到另一個坐在角落的人嗎？光坐在這兒是不行的，你要站起來，主動去讓這件事發生才行。」

「哪有這麼容易的事?!」年輕人以防衛性的語調說。

「誰說它容易了?」老人回答道，「但如果你要得到愛，就必須鼓起勇氣，抓住生命中的機會。」

「什麼樣的機會?」年輕人問道。

「在我的國家有這麼一則故事，」老人說，「有個人在晚上碰到了一位天使，天使告訴他說，有件大事將會發生在他身上，將來他有機會變成巨富，在社會上獲得卓越的地位，並娶到漂亮的妻子。於是，這個人終其一生都在等待這個奇蹟。可是，卻什麼事也沒發生，他窮困地度過一生，最後孤獨終老。當他來到天堂門口時，又遇見了那位天使，就對天使說：『你說過要給我財富、很高的社會地位和漂亮的妻子，可是我等了一輩子，卻什麼也沒有。』

「天使回答他：『我沒說過那種話。我只承諾過要給你機會得到財富、受人尊重的社會地位和一個漂亮的妻子。可是，你都讓這些機會從身邊溜走了。』這個人迷惑了，他說：『我不明白你的意思。』天使答道：『記不記得你曾經想到個好點子，可是並沒有付諸行動，因為怕失敗而不敢去嘗試。』這個人點點頭。

「天使繼續說：『因為你沒有去行動，所以幾年後，我把這個點子給了另一個人，那人毫不畏懼地去嘗試了。後來，他變成全國最有錢的人。還有，你應該還記得，有回城裡發生了大地震，城裡大半的房子都毀了，好幾千人被困在倒塌的房子裡。你有機會去幫忙拯救那些存活的人，可是你怕小偷會趁你不在家的時候，到家裡偷東西，所以無視那些需要你幫助的人，只是守著你自己的房子。』這個人不好意思地點點頭。

「天使說：『那是你去拯救幾百人的好機會，而那機會就可以使你在城裡得到很崇高的社會地位。』

「『還有，』天使繼續說：『你記不記得有位頭髮烏黑的漂亮女子啊？她深深地吸引了你，而你從不曾這麼喜歡過一個女人，之後也再沒有碰到過像她這麼好的女人了。可是你認為她不可能會喜歡你，更不可能會答應跟你結婚。你因為害怕被她拒絕，就讓她從你身邊溜走了。』他一面點頭，一面流下了眼淚。

「天使說：『我的朋友啊！就是她！她本來該是你的妻子，你們會有好幾個漂亮的小孩，而且跟她在一起，你的人生將會變得很快樂。』

「我們身邊每天有很多機會，包括愛的機緣。可是我們經常像故事裡的那個人，總是因為害怕而停下腳步，結果機會便悄悄地溜走了。」

「害怕？」年輕人重複唸著。

「是的，害怕！」老人說，「我們因為害怕被拒絕而不敢接觸他人，我們因為害怕被嘲笑而不敢跟他人溝通情感，我們因為害怕承受失落的痛苦而不敢對別人說出承諾。」

年輕人回想起以前害怕被拒絕的心理，使他即使面對心儀的女孩也不敢說話。他沮喪地想，自己竟然錯過了那麼多機會。

老人接著說：「不過，我們比故事裡的那個人多了一點優勢。」

「那是……什麼？」年輕人結結巴巴地問。

「我們還活著。我們可以從現在開始把握那些機會，可以自己創造機會。」

年輕人回味著老人說的這些話，陷入了沉思。他一直認為愛和被愛的關係都只是跟運氣或宿命有關，要麼就碰到相配的人，要麼就碰到不相配的人。愛情就是這麼一回事，你遇到了某個適合的人，馬上被吸引，然後開始約會、談戀愛，全部的過程僅此而已。可是現在，聽了老人的一席話，他不這麼想了。

老人看著年輕人，說道：「除非先學會愛，否則不可能擁有愛情的關係。一旦心中有了愛，你所期待的關係就會隨之而來。」

「你是說每個人都可以學會去愛？」年輕人說。

「當然！」老人微笑著說，「去愛你自己、愛別人，並且熱愛生命，這是自然定律。無論處於任何狀態、任何時空，我們都有去愛和被愛的渴求。只要我們通曉祕密之處，愛即是享之不完、用之不盡的。」

「什麼祕密？」

「愛的祕密。」

「愛的祕密？那是什麼呢？」年輕人問。

「愛的祕密是由遠古時代的智者和哲學家所流傳至今的。愛的祕密有十大原則，使人們不但能夠在生命中把愛啟動，更可以持盈保泰，讓愛永隨人生。」

「你在跟我開玩笑嗎？」年輕人不敢相信地說，「你是說每個人都可以找到真愛？」

「不！我是說每個人都可以『創造』出愛和愛的關係。」老人強調。

「你怎麼能確定呢？」年輕人問道。

「如果我拍拍手，能不發出聲音來嗎？推這張桌子，它能不動嗎？日出日落就是一種自然規律的循環。科學家已經發現了許多生理法則、運動法則和地心引力。當然，還有其他跟自然、人類有關的法則，跟健康、快樂、愛有關的法則等等。」

「愛的法則？」年輕人問道，「如果這些『法則』就如你所言，真的有作用的話，為何大家都不知道呢？」

「因為我們常常失去生命的方向，當我們心裡的幻想破滅或感到沮喪氣餒時，很容易就忘了那些法則，所以需要被提醒。」老人說，「生命裡如果沒有愛，世界會是一個非常冷酷而寂寞的地方；如果有愛，世界就變成了天堂。美國詩人桑頓．威爾德就曾寫過這麼一段話：『在生死兩岸，愛是中間的橋樑……愛是唯一的生機，愛是唯一的意義。』隨著愛的祕密去探索，你就會找到其中的奧妙，你的世界和生命終將不同。」

「快告訴我怎麼做吧！」年輕人說。

老人笑著取出一張小紙條遞給了他。年輕人小心翼翼地看著紙條，正面寫了十個人的名字和電話號碼。他正反翻著紙條，以為還有其他條文，可是反面沒有字，是一片空白。

「這是什麼意思呢？」年輕人抬起頭問，老人卻不見了。年輕人站起來，眼睛在房間四處尋視，甚至爬上椅子四周張望，還是不見老人蹤影。年輕人在桌旁等著，等待老人回來。三十分鐘過去了，老人還是沒出現，於是年輕人知道，今晚不會再見到那位中國老人了。

婚宴結束時，他特地前去和新郎、新娘道別，並給予祝福，感謝他們的邀請和招待，順便問他們是否認識一位中國長者。他們倆很確定地告訴他，邀請名單上沒有中國人。年輕人猜想，中國老人一定是侍者，於是，他又請領班幫忙找找中國侍者。可是，領班卻說根本沒有這樣的服務員。

年輕人更加疑惑了，這位中國老人是誰呢？他是從哪裡來的呢？他所說的「愛的祕密」又是什麼？他抓緊了老人給的紙條，心裡想，那十個人名和電話號碼是唯一可以找到中國老人的線索了。

祕密1

思想的力量

第二天，他打電話給紙條上那十個完全陌生的人，向他們請教有關愛的祕密。這著實令他既緊張又難堪，但讓他吃驚的是，這些人竟然都很歡迎他的來電，所以他很順利地分別和他們相約見面。

年輕人對名單上的第一個人特別好奇。他是雨果·普契亞，一位退休的社會學教授，在人際管理和公共關係方面頗為知名，並著有多本相關主題的暢銷書，常被邀請至電台和電視談話節目裡擔任嘉賓。

普契亞博士最為精湛的觀點是：人類在追求科學和經濟發展的過程中，忽略了生命中最本質的事物。他經常引述古印度的哲學名諺：「只有當最後一棵樹木被砍下，最後一條河流被下了毒，最後一條魚被捕盡，你才會發現，原來金錢是不能吃的。」

普契亞博士是個六十幾歲的長者，手臂很長，頭髮全白，有著非常溫和、甚至有點孩子氣的臉孔，因而看起來至少年輕了二十歲。普契亞博士張開雙臂迎接年輕人，把他當作久別重逢的朋友般緊緊地擁抱著。年輕人頓時手足無措，因為他根本不習慣和任何人擁抱，即使是自己的家人。

「你見到那位老人了？」普契亞博士一邊說著，一邊請年輕人坐下。「他還好嗎？」他問。

「他看起來很好，」年輕人一坐下，便問道，「他到底是誰？從哪兒來的？」

「我和你有相同的質疑。我也只見過他一次，是在三十多年前。他改變了我整個教學和生活的方向。我是剛在大學教書的時候遇到他的，當時我被安排擔任一年級六班的學生輔導員。十個星期後，我發現有一個學生失蹤了，是一個漂亮、活潑、聰明又敏感的年輕女孩。在她缺課後的第三個星期，我向坐在她附近的幾個同學詢問關於她的詳情。結果竟然沒有人知道，也沒有人在乎，他們甚至連她的名字都不曉得。

「下課後，我到教務處去，試著問出那位女學生的住處，以及她曠課的原因。教務處的人很訝異地看著我說：『喔！對不起！我以為你已經知道了。』教務處的人把我拉進辦公室內，告訴我說，那名學生在兩個星期前自殺了，從十樓高的大廈屋頂跳了下來。

「我被這個消息嚇呆了，坐在前廳發傻似地想著，是什麼原因讓一位有潛力的學生結束生命？在那兒待了許久……直到我突然發現他正坐在我身旁。」

「誰？」年輕人打斷他。

「那位中國老人。」普契亞博士說，「他問我為什麼困惑？我就把故事告訴了他。他沉默了幾分鐘後，說了幾句我永遠不會忘記的話。他說：『我們教導學生如何聽說讀寫、加減乘除，教導他們許多我們自認為良好的教育，然而我們卻忽略一件最重要的事——如何去愛。』

「他的話對我來說，有如醍醐灌頂，那也是我一直以來的困惑，只是沒有人清楚地點醒過我。我們坐在那兒談了好多關於愛和生命的觀念，就是從那位中國老人的口中，我首次聽到有關愛的祕密——十個不朽的原則，它讓我們把愛帶進生活中，讓愛的氛圍常駐生命。」

年輕人半信半疑地問：「你是說那些『愛的祕密』真的管用？」

「至少對我來說是，加上我有幾百個學生將之落實在生活中，得到了不錯的效果。」普契亞博士說。

「真是奇妙又不可思議！」年輕人說，「如果真的這麼容易，為什麼不是人人都奉行呢？」

「問得好！」普契亞博士回答，「在我們的心靈深處，渴求愛的心情比其他需求都重要，是我們忽略了它的訊息。我們熱衷於追求其他的目標，譬如事業、金錢和財富的成就，還要追求休閒、娛樂的品質，卻忘了生命中最重要的事。你想想，還有什麼比真愛更重要呢？」

年輕人低頭在記事本上寫著，普契亞博士繼續說：「中國老人交給我一張紙條，上面有十個人名和電話號碼。我在七天之內跟所有人聯繫，透過他們，我學到了簡單而實際的方法，並且親身奉行，體驗出許許多多愛的感受。這些方法使我學會建立更持久的愛的關係。這十個愛的祕密同等重要，其中對我影響最大的，是『思想的力量』。」

「思想的力量？」年輕人重複說著。

「是的，這是改變我們生命最簡單的方法。如果心想著憤怒，就會覺得憤怒；如果有著興奮的情緒，心就會興奮起來；如果你心想著快樂，你就會真的快樂起來……以此類推，如果心裡有愛的思想，就可以體會到愛。改變思想，就改變了心的經歷。就是這麼簡單。」

年輕人揚起眉毛：「說起來容易，但做起來不簡單啊。」

「沒錯，當然不容易。這就是為什麼有人說：『打敗自己的心，比打敗天下人都來得偉大。』不過這是有可能做到的。我們應該可以相信自己的選擇，可是在成長過程中，我們卻被教導著去做錯誤的選擇。我們被教育成批判、歧視不同的人。其實，孩子是不在乎不同膚色或信仰的，他們只是單純地看待每種不同的人。你愛一個孩子，他也會回饋你，因為愛是人類的本能。問題是，童年時對愛的熱望常被他們的父母扼殺了。」

「怎麼說呢？」年輕人問道。

「孩子會以父母的行為來建構自己對愛的理解。如果孩子總是被喝斥或被體罰，就會學習這種行為，以這種方式來詮釋愛。所以，我們必須重新學習愛及被愛的真諦。

只有改變我們的認知和態度，才能走向愛的世界。」

「那你是如何做到的？如何謹記在心呢？」年輕人問。

「你可以從一段『鄭重的宣言』來開始改變你的態度、認知和思想。」

「什麼是『鄭重的宣言』？」

「就是一段話，用肯定的語氣唸出來，不時重複唸誦，或對你自己不斷地重複敘述。舉例來說，如果你認為永恆的愛是不可能的話，用以下這段話來改變：『我要創造生命中的愛。今天，我要用愛去對待所有我見到的人。我可以很輕易地得到愛的關係。』或者這麼說：『我有無比的力量，可以創造愛的關係。』

「再舉一個例子，如果你不相信可以遇到理想伴侶的話，也可以對自己說：『我的理想伴侶會在最恰當的時機、地點出現。』

「以我的經驗來說，『鄭重的宣言』會改變我們的思想和潛意識。我們的思想決定我們的行動，行動產生行為，而行為造就我們的命運。」

「要多久複誦一次這種『鄭重的宣言』呢？」年輕人問道。

「盡你所能。有人把它寫下來，放在車上，或貼在冰箱上等顯眼的地方，讓自己隨時閱讀。不過，一天至少三次，早晨起床的時候、下午、晚上睡覺前各唸一次。」

「所以只要重複這些『鄭重的宣言』，就可以改變思想嗎？」年輕人問。

「不！這只是幫助你改變潛意識的認知，你還必須時時思考愛對你的意義，以及去愛別人的意義。據我所知，很少人會認真思考這問題。以你為例，你告訴我去愛一個人的定義是什麼？」

年輕人猶豫地想了想，結結巴巴地說：「嗯……這個嘛……我想……愛一個人就是……去關心她，當她需要你的時候，你會在她身邊，幫助她。」

「完全正確！」普契亞博士說，「換言之，就是表現出人性中最崇高的仁慈。可是你可以做到嗎？如果你不先思考對方的需求是什麼，你怎麼關心、幫助他們呢？」

「不能。」

「所以，當我們要去愛一個人的時候，最困難的地方就是，我們必須先考慮到對方的需求和立場。」

普契亞博士繼續說：「剛開始投入工作時，我很天真地以為，老師就是教書嘛！教數學、物理、地理或社會學。可是，我很快就明白了，老師要教的不只是學問，更要因材施教。每個學生都不同，一個好老師必須發展出因人而異的教學方法，以便誘發不同學生的學習熱情。

「在生活層面也是一樣，我們要先考慮到他人的需要，才有可能擁有愛的關係。我們要把自己的腳放進他人的鞋子裡，意思就是要嘗試從別人的角度去看待事情。很多人的關係是沒有愛的關係，他們經常抱怨伴侶不愛自己。可是，如果他們不要總是問：『我的伴侶為我做了些什麼？』而是反過來捫心自問：『我能為我的伴侶做些什麼？』互相為對方設想、體諒和付出，結果會截然不同。這樣的伴侶彼此會有被愛的感覺，會把更多的愛回饋回去。如果我們經常對對方進行自私的考量，而非互相包容和關愛，那就很難得到愛了。」

普契亞博士繼續說：「凡事由心開始改變——愛的思想引導著愛的行為，以及愛的體驗。」

「嗯！不過我還有個問題，」年輕人說，「思想不能幫助人尋得或創造愛的關係。」

「恰好相反！」普契亞博士回答，「你的思想會幫助你吸引到愛的關係，當夢寐以求的女人一出現，你馬上會認出她來。」

「我不是很明白。」年輕人說。

「好，我的意思是，每個人都期望尋覓到一段動人的愛情，還可以白頭偕老，你同意嗎？」

年輕人點點頭。

「那麼，誰會是那位特別的愛侶呢？」

「我不知道。這就是問題之所在。」年輕人說，「我沒有那樣特別的愛侶。」

「你有！」普契亞博士肯定地說，「我保證你有，還沒碰到罷了。然而，當這女孩走進你的生命中時，你要如何認出她來呢？」

「要如何才能知道遇到的那個人就是我們所要的？」年輕人反問。

「用正確的方法來判斷囉，」普契亞博士說，「你先勾勒出自己的理想愛侶的各種條件，仔細地想想有關這個人的品質。」

「哪種品質呢？」年輕人問。

「身體的、心理的、情感的和精神的品質，譬如說，她的膚色是黑的還是白的？高大的或嬌小的？她該有什麼顏色的眼睛呢？或者，外形的品質對你來說並不重要。但是，她喜歡哪種運動，有什麼嗜好或興趣呢？她有精神上的信仰嗎？還有，她的性情脾氣如何？她最好活潑外向，還是文靜內向呢？她必須是有智慧的嗎？」

「老實說，我從來沒想過這麼多，」年輕人坦誠地說，「這真的這麼重要嗎？」

「是的！」普契亞博士非常肯定地說，「如果你不知道理想中的她是什麼樣的人、如何共同生活，當她走向你時，你又怎麼能夠辨認出來呢？」

「有的情況是，當這個人出現時，你就應該知道。」年輕人辯解道。

「有些人是吧！」普契亞博士說，「但他們還是事先已在心裡描繪出某種形象來。如果對這個理想中的伴侶沒有概念的話，你很容易被性的吸引力所影響而一時迷戀對方，甚至因為害怕寂寞，以致和一個不適合的人在一起。

「比方說，你的伴侶必須喜歡寵物，對你來說這是很重要的。結果你遇到一個吸引你的人，可是你很快就發現，對方討厭寵物。這時你才覺得很不適合，再有吸引力都不是你想要的。

「所以愛情並非是盲目的，而欲望和性卻是。假如心中沒有一點想法的話，就會很隨便地找一個人。但如果先建構出一個理想形象，你遇見意中人的時候，就比較容易感受到。」

年輕人說：「現實和理想總有落差，你確定會有類似的人嗎？」

普契亞博士微笑了，「她們不僅『類似』，而且會完全符合。這就是『思想的力量』的精髓所在，要吸引某個人或某件事進入你的生命中，首先要想像他們已經是屬於你的了。當然，理想中的伴侶的某些素質，或許並不特別重要，我們在心裡想像的過程，會讓我們多加思考，到底什麼樣的特質是比較重要的。這個過程才是真正的重點。

「就好比去超市購物，如果你不知道要買什麼，就會很輕易地被廣告或促銷活動影響，回到家才發現要買的都沒買，買的全是一些根本不需要的東西。如果你事先想好，就會只買需要的東西了。

「尋找一段關係也是同樣的道理。如果我們終其一生都沒想過這種品質的問題，可能就會被外表或性欲所左右，但是當吸引力消失後，才發現所選擇的這個人根本不具備我們要求的重要品質。」

年輕人趕快低頭寫下來。普契亞博士繼續說：「愛情不是折磨，而是應該被好好經營。我們如果渴望愛情，就該用行動來創造愛，這才是『愛的祕密』的真正內涵，提醒我們去經營內在本質上的事情。」

「而選擇正確的思想是其中一項？」

「完全正確！愛和被愛的能力、創造持久的愛的關係，以及吸引到你的理想伴侶……等等，都要從你的思想開始。」

當天晚上，年輕人整理了普契亞博士談話的一些重點：

思想的力量

- 愛始於我們的思想。
- 我們可以成為我們想要的樣子。愛的思想創造愛的體驗以及愛的關係。
- 「鄭重的宣言」可以改變我們對自己以及他人的認知與思想。
- 愛一個人，必須先考慮到他（她）的需求和渴望。
- 對理想伴侶形象的預先建構，可以幫助你在人群中辨認出他（她）來。

他的腦海中也開始想像理想伴侶該有的模樣：她的外表、性格、信仰，她的喜惡、嗜好……他閉上雙眼，一個影像逐漸清晰起來。喔！她是美麗的，比他矮一點，有著及肩的金色頭髮，大而明亮的綠色眼眸，以及迷人的笑容；她充滿自信、善良而大方；她有智慧，溫柔體貼又悲天憫人，不會太嚴肅；她愛寵物、關愛環境，喜歡一些簡單的戶外休閒活動，譬如在鄉間散步，在寒冬的夜晚坐在營火旁。

年輕人把這些特質寫在紙上，然後輕鬆地坐在沙發上再讀一次。

「嗯……」他自言自語，「只要……」他把那張紙整齊地疊好，放在書架上。

祕密2
尊重的力量

名單上的第二個人是一位名叫米莉．霍普金斯的博士，在市立大學教授心理學，也是該大學第一位女教授；她在學校很受歡迎，備受學生及同事的喜愛與尊敬。從她講話的語調可以明顯感覺到，她非常高興接到年輕人的電話，而且堅持要跟他坐下來好好聊一聊。他們約了第二天下午五點，在大學校區內霍普金斯博士的辦公室見面。

六十四歲的霍普金斯博士看起來充滿了大學新生的精力與熱忱。她身材勻稱嬌小，穿一件白色上衣和海軍藍套裝，及肩的金髮紮在腦後。雖然臉部皺紋不少，但表情溫暖友善。

一提到中國老人，她的聲音更加激動，顯得生氣勃勃。

「我是在二十年前遇見中國老人的，」她對年輕人說，「那時我染上毒癮，流落街頭，與今天完全兩樣。」

年輕人震驚得下巴都要掉下來了，結結巴巴地說：「妳……在跟我開玩笑吧？」

「是真的。」她認真地說，沒有一點害羞或窘困的神情，「我已經不記得進出醫院多少次了，總是因為服藥過量被送進醫院。出院後我又馬上回到街上，繼續嗑藥。

「有一天，我又被送到醫院灌腸。在病床上醒來後，我發現一位醫生正坐在身旁，握著我的手。他看起來非常溫柔仁慈，語調很和善，因此我知道他是真心關懷我。多年來，他是第一個這樣面對面與我說話，把我當人對待的人。所以，我一直記得他。

「我們談了很久，我把一些從來沒有對人說起過的事都告訴了他：我的家庭、我的童年、我流落街頭的不堪生活……光是對他傾訴，就已經讓我感覺好多了。他說他有幾個朋友可以幫助我，並把他們的名字和電話號碼給了我。然後我一一跟他們聯繫了，感謝老天！他們讓我得到了新生。」

「你指的是『愛的祕密』吧？」年輕人問道。

「是的！我之所以要學習這些祕密，是因為我的生命裡沒有愛，我也不愛自己。而這也是為什麼愛的第二個祕密對我特別重要，那就是『尊重的力量』。

「那時，我根本不懂得尊重，從不尊重任何人，別人同樣不尊重我。沒有尊重就沒有愛，所以我不愛別人，也不被人愛。你知道嗎？如果你要愛一個人，先得學會尊重那個人。而你首先要尊重的，就是自己。如果你不懂得尊重自己，就不會愛自己，而一個不愛自己的人，又怎會去愛別人呢？」

年輕人低頭記錄著米莉的話。

米莉接著說：「我最大的問題就是——我不愛，也不尊重自己。」

「為什麼呢？」

「這也許要追溯到我的童年時代。」米莉解釋說，「我是個私生子，媽媽在我三歲的時候結了婚。她以我為恥，而我的繼父，不知道為什麼他就是恨我。我六歲的時候，因為媽媽抱著同母異父的妹妹，我覺得受到冷落，所以轉頭就跑。突然，我被人從背後狠狠推了一把，結果滾落到樓梯下。我永遠不會忘記繼父那張臉，他站在樓梯上，窮兇極惡地對我說：『她現在是我孩子的媽媽，你這個沒人要的醜八怪。』」

年輕人簡直不敢相信自己的耳朵，他問：「那你媽媽怎麼說？」

「什麼都沒說！她繼續抱緊我妹妹，我就好像是空氣一樣。難以置信是吧？怎麼會有這麼狠心的父母呢？可是，太多人從他們父母那兒得到的待遇比這更糟。我雖然不是經常這樣被揍，但也從不曾得到父母的愛和關心。他們刻意忽視我。我感到被拒絕、沒有愛，因此怨恨生命。這問題非常普遍，很多人從不尊重自己，他們要麼討厭自己的外表，要麼討厭自己的聲音、性格或智力，於是喪失自尊，自認低人一等。我就是這樣！所以，如果希望得到別人的愛，就必須先學會尊重自己、愛自己。」

「你是如何學會的呢？」年輕人問道，「這並不容易吧？」

米莉笑著回答：「的確不太容易，但還是可以做到。我們要學習接受自己，心懷感激，不在意別人的惡意批評。我們要知道，世界上任何人、任何事都有其安身之處。我們都是獨一無二的！這個世界上以前沒有，將來也不可能出現跟你一模一樣的人。這是真理！不論你是男人還是女人、富有還是窮困、黑皮膚還是白皮膚，每一個靈魂都值得尊重。

「猶太教義中有句話很美：『只要拯救了一個靈魂，就拯救了全世界。』這句話是要告訴我們，每個人都是可貴的，不論膚色、種族、宗教，每個人都有存在的權利。」

「理論上是如此，但實際上恐怕不太樂觀。」年輕人說。

「我同意你的看法，但這並不是做不到。如果我可以做到，相信任何有心人也都可以，問題只在於要找到自己和別人身上的可敬之處。」

「什麼意思？」年輕人問道。

「我們大腦的結構很奇特，即使到了現代醫學如此發達的今天，人類對自身的大腦仍然一知半解。大腦的偉大功能之一，就是它可以回答你所提出的任何問題。雖然有時它會給出錯誤的答案，但不論如何，一定會給你一個答案。

「譬如，如果你自問，自己最值得尊敬的地方在哪裡？你的大腦會給出答案。事實上，中國老人就曾這樣嚴肅地問過我。最初我說，自己並沒有什麼地方值得尊敬或喜愛。他說：『但如果真的有，你想會是什麼呢？』於是，我繼續想。經過認真思索，我果然想到了。我知道我很聰明，學習上總是名列前矛；我也佩服自己，竟然堅持活下來；雖然身處絕望的境地，但我從不曾搶劫、欺騙或傷害任何人。這麼想時，我真的不那麼討厭自己了。」

年輕人抬起頭來，看著米莉．霍普金斯博士說：「所以，找到自尊的方法，就是問自己哪裡最值得尊敬或喜愛。是這樣嗎？」

霍普金斯博士點點頭說：「這方法對我來說的確有效。我想，它既然可以幫助我，就同樣可以幫助其他人。我相信，只要你自問：『我到底哪裡值得尊敬或喜愛？』你的大腦一定會給出答案。」

「如果沒有呢？」

「一定有的，而且答案常常不只一個，例如，你可能會覺得自己很誠實的這一點值得尊敬，或是你有一份正當職業，或是你定期運動，是什麼都沒有關係。久而久之，你就可以找到自己很多值得尊敬的特點。

「尤其是那些你不喜歡的人，你更應該問自己，他們有什麼地方值得你尊重。」

「為什麼？」年輕人問。

「當你這樣問自己時，多半會想到對方的一些優點，而不會只注意到他們的討厭之處。這時候，你會發現，自己漸漸可以對他們以愛相待。」

「以愛相待，你是說……」

「仁慈地對待他們，並且多考慮他們的立場。有些人總是把別人當做沒用的東西，用惡劣的方式對待別人，」霍普金斯博士繼續說，「然而事實是，我們都來自同一個創造者，都是上帝創造的，換言之，我們都是同母所生，是兄弟姐妹啊！我們不要低估了人類的個別性，每個人都擁有改變世界的力量，而世界也在被不同的人以不同的方式改變著。若是能夠尊重一個人的真實價值，也就會以截然不同的方式去看待他們。

「記得當年露宿街頭時，有一天晚上我突然被驚醒，發現一個員警正把尿灑在我的臉上。」

「什麼?!」年輕人驚叫起來，「天底下怎麼會有這種人！」

「他顯然只是瞧不起街頭露宿者而已，」霍普金斯博士淡淡地說，「他根本不把我當人看。我永遠不會忘記他站在面前哈哈大笑的樣子，那對他來說不過是個玩笑罷了。

「我相信，世上之所以有那麼多人覺得沒有愛，都是因為他們失去尊重的緣故——對自己、對他人、對生命的尊重。結果，就形成了一個沒有愛的世界。阿拉伯人和猶太人、白人和黑人、基督教和天主教——如果我們能夠尊重不同的信仰、不同的生命，能夠以愛來同等對待他們，又怎會出現那樣的結果呢？

「我們一旦瞭解並欣賞自己的價值，就會開始欣賞別人的價值，並且尊重他們。有了尊重，我們就能夠愛了。以我為例，在學會尊重自己，進而愛自己之後，我和別人在一起便顯得更加自在。因為我以尊重的眼光看待別人，態度也就自然而然地溫和起來，同時感覺自己更願意對人以愛相待。」

年輕人微笑著，努力做著筆記。這些話聽起來很簡單，也很有道理，只是他從未認真想過，尊重對創造愛和愛的關係是如此重要。

「可不可以告訴我，你是如何從露宿街頭的遊民變成大學教授的？」

霍普金斯博士笑著說：「中國老人給我的名單上有一位修女，她非常好，給了我很大的幫助。她帶我離開街頭，為我在社區教會找到一個住處。我住在那兒的條件就是，必須做事——煮飯、清掃、整理花園……等等，包攬所有的家務。

「從第一天開始，她們就視我為姐妹，把我當作她們家庭中的一員。她們從來不把我當做沒有用、嗑藥或低階層的人。對她們而言，我只是個需要幫助的人，而她們就給我幫助。那真是一種全新的體驗，我平生第一次感到被需要。

「那位修女還鼓勵我繼續求學，她說我有個天生的好腦袋，應該好好使用。你知道嗎？從來沒有人這樣鼓勵過我！所以，我開始去上夜校。教會裡每個人都對我的努力不斷給予激勵，七年之後，我以優異的成績取得第一個學位。兩年之後，我拿到了碩士學位，再過三年，我獲得了博士頭銜。

「那天，是我這輩子最美好、最值得懷念的日子。教會裡所有姐妹都出現在我的畢業典禮上，當我被叫到名字，上台領取證書，然後手持證書，轉身面向禮堂觀眾席的時候，啊！那一刻真令我永世難忘！我看到台下二十幾個修女站起來，對我鼓掌、吹口哨、歡呼。之後，我走下台階，看到有一個人站在觀眾席的最後面，是那位中國老人，他舉起雙手鼓掌，臉上洋溢著滿足的微笑。」

當晚，年輕人整理了他與米莉．霍普金斯的談話記錄：

尊重的力量

- 在懂得如何尊重之前，你是無法去愛的。
- 你首先要尊重的人，就是自己。
- 獲得自尊的第一步，就是自問：我有什麼是值得尊敬的？
- 如何尊重他人，尤其是那些你不喜歡的人？方法就是，問自己：他們有什麼地方值得我尊敬？

祕密3 給予的力量

喬洛丁．威廉太太從母親肚子出來的那一剎那起，就開始與快樂和愛搏鬥，因為她比常人少了兩條腿和一隻手。她是六〇年代那一波「撒利豆邁」（Thalidomide）悲劇中誕生的幾千個嬰兒之一。「撒利豆邁」是一種鎮痛劑，孕婦服用之後會生出肢體畸形的嬰兒。當年輕人看見威廉太太坐在輪椅上，伸出僅有的一隻手臂歡迎他時，他尷尬地張大了嘴。

「我真高興你打電話來。」威廉太太說著，引年輕人進入客廳，完全不在乎他不自然的表情，「遇見中國老人……喔！那已經是十多年前的事了，不過感覺恍如昨日。」

威廉太太讓年輕人坐在沙發上，然後將輪椅移到他對面。

「那是一個夏天的傍晚，夕陽暖洋洋地灑遍大地。學院裡正在舉行舞會，我卻獨自坐在公園裡，悲傷地想著，這個世界上除了父母，沒人會喜歡這樣的我。我怎麼也想像不出有誰會牽著我的手，邀我去跳舞。想著想著，我不禁哭了。

「突然，我聽到一個男人的聲音問我怎麼了。我抬起頭，看見了他……那位中國老人正站在身旁。他遞給我一張面紙擦拭淚水，然後，在我身邊的長條椅上坐下，手臂輕輕觸著我的手。

「『也許我可以幫你。』他溫和地說。

「『沒人可以幫我。』我低聲說。

「『為什麼？』他問。

「『我的問題是無法解決的。』

「他又說：『在我的國家，我們相信每一個問題都能豐富自己的人生。』

「『但我的問題不可能豐富我的人生。』我說。

「『我有位朋友，』他說，『他真是個了不起的人。大約十年前的某一天，他在街上騎著摩托車，一輛大貨車突然飛馳到他前面，他來不及剎車，為了不撞上去，當下唯一能做的就是滑到貨車底下。千鈞一髮之際，他真的連人帶車滑下去了，可是這時，摩托車的汽油蓋爆裂開來，他瞬間被火焰吞沒。

「三天之後，他在醫院中甦醒過來，全身百分之七十三被灼傷，臉部和手指都被燒得慘不忍睹，腰部以下全部癱瘓。但是，他具有一般人所缺乏的優點——不屈不撓。他的老婆因為不願和她所形容『被火融化的廢人』繼續共同生活，棄他而去。

「即便如此，他仍打算好好活下去。事實上，他現在是個百萬富翁呢！這位朋友的外貌令人不忍直視，下半身癱瘓，手指也沒了，只能靠輪椅行動。你很難想像他的痛苦，沒人相信他可以過正常生活，甚至擁有愛的關係。大家都說，他一定會生活在痛苦、怨恨和氣憤之中，因為自那次意外之後，他已經一無所有。

「但是，他們都錯了！他沒有痛苦、怨恨或氣憤，因為他知道，他的內在沒有變，還是同一個人。他仍然有夢想可以追隨。後來他成為一位很成功的商人，而且是身邊所有人的精神導師。還有，你一定不相信，他遇到了夢中的戀人，並和她結了婚！

「我看著中國老人，懷疑地問他：『真的有這麼一個人嗎？』他說：『相信我，是的！這個人對待生命的態度其實很簡單，他只是不想死罷了。』

「我後來又問老人，他的朋友是如何找到愛情的？中國老人真誠地說：『和別人一樣，他遵循了愛的十個祕密。』

「那是我第一次聽到有關愛的十個祕密，正如老人所言，它們為我們的生命帶來愛，而且是源源不絕的愛。」

「這聽起來實在太完美了，完美得不像是真的。」年輕人說。

「我起初也這麼想，可是我真的獲益匪淺。」威廉太太說，「我想它如果對我有用，應該也能幫助其他所有人。其中一個祕密對我的震撼最大，那就是『給予的力量』。」

「給予？」

「是的！它真是再簡單不過——你如果想得到愛，只要先付出愛就行了。而你給予愈多，得到的就愈多。」

年輕人掏出隨身攜帶的筆和記事本：「你可不可以說詳細一點，舉個例子吧！」

「好！如果你對人微笑，別人會怎樣？」

「回我微笑。」年輕人回答。

「如果你擁抱某人，那人通常也會擁抱你。一句問候、一份禮物、一通電話、一封信……等等，任何可以展現你關懷的形式，最終都會以不同的方式回應給你。」

「可是，並不是每個人都會這樣回應。」年輕人說。

「是的。不是每個人，但大部分人都會。愛就像迴力球，總會回到你這裡，也許不一定從你所付出的那個人身上回來，但它依然會回來，而且回來的，會比你付出的更多。可是你必須記得，愛不像物品、財產或金錢，送出去後，自己就匱乏了。正相反，愛是可以無限付出的，我們給別人愛，自己的愛卻不會因此減少。其實只有你不願意付出愛的時候，你的愛才會減少。」

「可是，嘗試去愛別人既浪費時間，又浪費精力。」年輕人說。

「為什麼？」威廉太太問道。

「因為有些人可惡極了，我真懷疑他們有沒有良心。」

「我問你，」威廉太太說，「如果你有一些種子，可以長出最美麗的花朵或樹木，你會把這些種子灑在哪裡？在美麗的森林裡？在美麗的綠色草原中？還是生機勃勃的土地上？抑或空曠的土地上？」

「怎麼說呢？我不太懂你的意思。」年輕人說。

「我的意思是，什麼地方最需要這些種子？這些種子可以讓哪個地區擁有最與眾不同的風貌？」

「空曠的土地。」

「完全正確。如果這些種子就是愛，什麼地方最需要它們？是已經充滿愛的心靈？還是痛苦的心靈？或孤獨的人們？」

「喔！我明白你的意思了。」年輕人說，「可是這並不容易做到。」

「微笑不會比皺眉更困難；說一些友善或鼓勵的話，也不比批評來得費時。友愛待人，其實跟不友善或不關懷他人一樣容易。問題是，我們很多人都不願意先付出，我們只願意先得到，後付出。

「我們的愛總是有許多附加條件，我們會說：『如果你愛我，我就會愛你。』我們總是在等待別人踏出第一步，而這就是許多人很少體會到愛的原因——他們在等待別人先愛他們。這很荒謬，就好像一個音樂家說：『只有當人們開始跳舞時，我才願意演奏音樂。』

「真愛是無條件的，它不求回報。有一次我讀到一則美麗的故事：一個小女孩急需做骨髓移植手術，所幸弟弟的血型跟她的完全吻合。醫生跟小弟弟解釋說，他的姐姐如果不注入新的血液，就會死去，但不是任何一種血液都行，必須是他的。小弟弟毫不猶豫地答應幫助姐姐。被麻醉之前，小弟弟抬頭問醫生：『我死的時候會不會痛？』

「一個不到七歲的小男孩以為，要救活姐姐就必須付出所有的血液，以為自己會因此死去。而你所尋找的愛不至於像那小男孩對姐姐的愛一樣，那麼純粹而絕對。你不會因為付出愛而少了什麼。兩相比較，你的愛是無足輕重的。所以，何必害怕呢？」

「我知道。可是，愛自己的家人比較容易，不是嗎？」年輕人說。

「那可未必。有些人不但不愛他們的家人，而且還恨他們！」

年輕人點點頭。他想起了米莉．霍普金斯，那個從小被排斥、忽視的女人，長大後對家人絕望憤恨。

「我們都是上帝所創造的。」威廉太太繼續說，「我們骨肉相連、血液相同。我們都是同一個家庭裡的一員，我想，這就是愛的本質——從別人身上看到自我。

「所以，如果你想體驗源源不絕的愛，就應當無條件地、不求回報地付出愛，否則那就不是愛了。一份禮物如果不是自願地付出，那算禮物嗎？愛如果不是無條件地給予，就不是愛。體驗給予的歡愉和創造愛，最棒的方法就是付出無所求的慈愛。」

「那是什麼意思？」年輕人問。

「無所求的慈愛，就是沒有任何理由地自動給予，給予別人快樂。例如，在街上看到悲傷的人，就送他一束花，或是對別人的工作表現給予讚揚。無所求的慈愛就是，帶給別人驚喜或送他們微笑，以散播愛的種子。這樣的愛會跟隨別人一生一世。」

年輕人記下重點，他喜歡那句「實踐無所求的慈愛」。

「所以你認為，只要付出並實踐無所求的慈愛，自己就可以得到愛？」年輕人問。

「絕對如此。這改變了我對自己的感覺。我以前一直覺得，自己是個可憐的受害者，可是透過給予的力量，我發現自己雖是殘疾人，但還是可以為別人做許多事，而且還可以使別人的生活有所不同。

「你可曾毫無所求地為關心的人做些事情？」

年輕人點點頭說：「那當然！」他記得有一次，就在幾個星期之前，他看見一個母親吃力地推著嬰兒車上飛機的階梯。當時大家都在趕時間，紛紛從旁邊擠過去，沒有人伸手幫忙。於是他停下腳步，幫那女人把嬰兒車推上了階梯。

「感覺如何？你一定感覺很快樂吧。」

年輕人又點了點頭，當時他的確很開心，他因為幫助那女人而感覺活力充沛。

「這就是給予的力量。」威廉太太說，「不只讓你感受到愛，它還會助長愛的關係。這是永恆的事實。事實上，給予是兩人之間愛和快樂的火種。」

「為什麼？」年輕人問。

「在一段關係中，如果你只留意到自己能付出什麼，而不是得到什麼，你就可以維持這段關係。所有的關係都跟給予和獲得有關，這話你同意嗎？」

「我同意。」

「如果你希望得到的，比想付出的更多，你就必然會遇到問題。換言之，你只要想著自己可以拿什麼給伴侶，就錯不了。在承諾一段長久的關係前，大多數人只考慮到伴侶可以為自己做什麼，如果他們把問題倒過來，自問：『我可以為伴侶做些什麼？』他們就會專注於思考如何為這段關係奉獻自己，而不是簡單地思考自己可以從中獲得什麼。這種態度對愛的關係只會有益無害。」

年輕人思索著，他愈想愈覺得有道理。他一直以為，愛就是從別人身上得到東西。他從不曾感受到因付出而得到的愛，或許這就是過去那些關係出錯的關鍵；他只想能從情人那兒得到什麼，而不是自己可以為情人付出什麼。

「告訴你一件不可思議的事。五年前，我正在看一部電視紀錄片，是關於發生在墨西哥的一則藥物醜聞。即『撒利豆邁』在西方國家禁用二十五年之後，竟然還在當地被當做處方來使用。」

「真是不道德！」年輕人搖頭。

「我看到那麼多命運悲慘的畸形小孩，簡直不敢相信自己的眼睛。其中有一個七、八歲的小女孩，她跟我一樣，一出生就沒有雙腿，而且臉部畸形。她雖然已經學會如何應對，可是每天仍處於極度痛苦之中，人們簡直看不到她的未來。

「她的家庭非常窮困，無法負擔一些基礎的醫療手術，譬如讓她能夠舒服地走路，或為她做最基本的臉部整形。她所穿戴的義肢非常簡陋，一點都不適合她，使她走起路來痛苦萬分，而且如果不先取下義肢，她根本無法坐下，也因為這原因，校車司機還拒絕讓她上車！」

年輕人聽了，不可置信地搖搖頭。

「我知道那個地方有人需要我的幫助。記得我曾讀到過一句話：『愛是自己對別人的探索，愛是於眾人中找出那個人的快樂。』但直到那時，我才真正瞭解這句話的意義。我不只是單純地看見一個畸形殘廢的小女孩，還在她身上看到了自己，我們因為同樣的殘疾而緊密連結。那是我生平第一次想到，自己的苦難可能有些用處。

「接下來的那個月，為了幫小女孩買一副新的義肢，以及讓她接受物理治療，從而可以舒服地坐下，我舉辦了一項籌款活動。我也希望能幫助她接受臉部整形手術，於是又籌辦了花園宴會、抽籤義賣、跳蚤市場拍賣會，並四處籌措捐款。十八個月後，我籌募到一筆經費，還說服了一組外科醫師免費幫她做一些基本的整形手術。

「當她經過治療並裝上新的義肢之後，我飛過去看她。她一見到我，便飛奔過來，用手臂環抱著我，眼中飽含淚水，不斷地哭著對我說：『謝謝你！謝謝你！』我也哭了，那是我第一次體驗到如此豐盈的愛。在此之前，我從不曾流過這種喜悅的眼淚。

「那一刻，我終於理解中國老人曾經問過我的話：『你認為哪種殘疾比較嚴重呢？不能走還是不能說話？耳聾還是眼瞎？還是不能笑、不能哭、不能愛？』我完全釋然了，因為我知道，除了身體上的殘疾，我的內在還是跟別人一樣。那一天我也終於明白，當我們心中充滿愛的時候，生命竟然可以如此美好！

「一年後，我遇到一個溫和、仁慈、美好的男人。他是我加入的一個社區社團的義工，我們很快就成了親密的朋友。幾個月後，我夢想中的事竟然奇蹟般地發生了……他邀我參加一個舞會。

「又過了一年之後，我們結婚了，而且有了兩個漂亮的小孩。所以，中國老人是對的！每個難題都會為你帶來意想不到的禮物，並因此豐富你的人生。一旦你可以付出自我，一旦你願意奉獻，你就有能力找到愛。」

那天晚上，年輕人把他和威廉太太見面時所做的筆記重新閱讀一遍：

給予的力量

- ♣如果你希望得到愛，就先付出愛；你給予愈多，得到愈多。
- ♣愛就是貢獻自我，自願而無條件。
- ♣付出無所求的慈愛。
- ♣在承諾一段關係之前，先問自己能給對方什麼，不要只問對方能給你什麼。
- ♣快樂、長壽的祕密處方就是，永遠專注於你能給予什麼，而非能得到什麼。

祕密4
友誼的力量

名單上的第四個人，叫做威廉．巴赫曼，是位自由撰稿者，文章經常見諸報刊，還出過一本暢銷書《朋友和情人》；他身材高瘦，臉部線條分明、有棱有角，迎接年輕人時，雙眼閃耀出喜悅的光芒。

「這愛的祕密啊，完全改變了我的生命。」巴赫曼先生和藹地說道，「我用了十多年時間去尋找一種特殊的關係，也就是找一個特殊的人和我分享人生，卻遍尋不著。有時我甚至想，這件事不可能會發生在我身上。然而，學會愛的祕密後，我在一年內就找到了夢中情人，而且和家人及所有朋友間的關係也都改變了。」

「改變成怎樣了呢？」年輕人迫不及待地問。

「嗯，那些關係似乎變得……更親密、更牢固。」

年輕人半信半疑地問：「那些祕密的衝擊力真有這麼強烈嗎？」

巴赫曼先生微笑著，口氣卻堅定：「沒錯！我知道這聽起來太過完美，可是一旦去嘗試，你就可以親身證實！這些祕密在各個層面上對我都很有幫助，但是，其中有一個是我特別需要學習的，那就是『友誼的力量』。」

「友誼的力量？」年輕人反覆玩味著，「你可不可以解釋得更明確一點？」

「好。從前我一直認為愛只是兩個人之間的羅曼史，也的確是。但愛其實還有更多內涵，應該包括關懷，以及當別人需要你的時候，你會在他身邊。所以，愛不只是愛情故事，更包括友誼。」

年輕人掏出筆記本，開始埋頭記錄。巴赫曼先生繼續說：「就像其他人一樣，我無時無刻不想找個人來愛。我去單身酒吧、舞廳和夜間俱樂部，和許多不同的女人相遇、約會，但就是沒碰到合適的那個人。於是，我開始懷疑自己根本不會遇到。

「那天晚上，我正獨自坐在市中心的一家酒吧裡，不知什麼時候，中國老人已經坐在我旁邊了。他舉起酒杯對我說：『嗨！你好！』我也舉杯回應，我們就這樣聊了起來。

「他問我：『結婚了沒有？』我說：『沒有。』他又問：『女朋友呢？』我還是說：『沒有。』他繼續問：『為什麼呢？』我說：『因為還沒碰到適合的人。』然後，他說了一些令人深思的話。他說：『也許，你來錯地方了！』」

「來錯地方？」年輕人問，「那地方有什麼不對嗎？」

「我當時也是這麼想的。」巴赫曼先生說，「我說酒吧和夜間俱樂部這些地方都有很多異性，怎麼會來錯了呢？他驚訝地睜大眼睛瞪著我，然後哈哈大笑起來。我問這有什麼好笑的，他回問我：『你有在酒吧或俱樂部裡找到過約會對象嗎？』

「我回答說：『有啊！有一些。』可是當他再深入問下去，我不得不承認，那些約會最多只持續了幾個星期。」

「到酒吧或俱樂部尋找愛人，有什麼不對呢？」年輕人問道。

「沒什麼不對啊！」巴赫曼先生說，「有時你會很幸運。可是就如同中國老人告訴我的，如果你要尋找一段持久的關係或真情真愛，就不應該去酒吧那樣燈光昏暗、煙霧彌漫又嘈雜的小空間裡。那些地方需要大吼大叫的方式對話，真不是個邂逅的好地方。」

「那什麼地方才是最好的？」年輕人問，因為他也經常滿懷希望地到酒吧或俱樂部找女朋友。

「得依人而定。」

「此話怎講？」

「中國老人曾告訴我：『如果希望找到真愛，你必須先找到真的友誼。』聽起來很簡單吧！可我從來都沒這麼想過。我們總是以為，愛最基本的要求就是身體上具有強烈的吸引力。但其實，是否具備這種吸引力在愛的關係中並不重要。如果我們要的是豐盈的、可以維持終生的愛，就必須超越人的表相。

「真愛根植於友誼，而非身體的吸引力。如同法國作家安東尼．聖艾斯培利所說：『愛，不是由彼此的凝視所組成，而是兩個人一起向外，往同一個方向看。』《聖經》上也說：『兩個人除非信念相同，否則無法共同旅行。』這是很共通的想法——分享共同的目標和興趣。成熟的尊重和彼此欣賞，是持久的愛的基礎。」

「這點真的這麼重要嗎？」年輕人從記事本上抬起頭問道。

「這是無庸置疑的！在一所美國大學裡，有幾位社會學家已經舉證出友情對愛的關係的重要性。他們對上百對婚齡超過五十年，至今還快樂無比的夫妻做了一項調查，想找出他們婚姻如此成功的因素。調查結果顯示了一個壓倒性的事實——真愛根植於友誼，每個人都說伴侶是自己最好的朋友。他們有共同的信仰、共同的興趣、共同的目標，以及共同的人生方向。其他如外形的美醜，以及物質、財產等，以長期的眼光來看，都無關緊要。友誼，是終生維持愛的關係的重要因素。

「我寫《朋友和情人》這本書，就是受到這個的激勵。許多人仍抱有錯誤的觀念，以為愛源自於身體的吸引力。這種想法太短視了，身體的吸引力終將隨著時光流逝而消失得無影無蹤。

「相反的，友誼是愛的磐石，每天都會加深我們對彼此的尊重。再美麗的女人也可能會說謊、欺騙，再有魅力的男人也可能會打罵女朋友。那些外表的東西不能帶來希望，只會導致痛苦。

「所以，不要讓你珍惜的關係根植在這些東西上面，最好還是找一個可以跟你分享生命、價值和目標的伴侶。」

年輕人點點頭，認為這個說法很有道理。自從跟普契亞博士見過面後，他就寫下自己對理想中的伴侶形象的一些要求，其中一項就是，必須能夠分享他對戶外生活的喜愛。

「我明白了。」年輕人說，「但我們是不是要先找到那個朋友？」

「沒錯。」巴赫曼先生回答，「要交到朋友，你首先要表現出自己的友善；而想交到特別的朋友，你得非常友善地和對方分享你的興趣與信仰。」

「這恐怕不易做到吧？」年輕人說。

「為什麼呢？你有什麼嗜好？你喜歡從事什麼活動？」

「嗯……我喜歡週末出去散步、衝浪，還喜歡聽歌劇。」

「那麼，你認為什麼地方比較可能交到這樣的朋友？是煙霧彌漫的酒吧？還是戶外俱樂部、衝浪團體或社區歌劇學會呢？」

「我明白你的意思了。」年輕人回答，「可是，如果沒有什麼嗜好或興趣呢？」

「得去找啊！每個人多多少少都有些嗜好，可能是一種運動，譬如足球、網球、游泳或騎單車；或是社交類活動，譬如跳舞、戲劇；甚至可能是政治性活動，都可以。當我們找到一種感興趣的活動，就比較容易找到可以分享的人，因為彼此有著共同的志趣。如果沒有任何共同志趣，你就很難與他們維持親密的關係。」

「這看似挺簡單啊！」

「是很簡單！可是我們經常忽視這一點。人們常常花太多精力找尋伴侶，但如果換個方式，彼此先建立友誼，你會發現，愛的關係也隨之出現了。」

「可是，你跟某人是朋友，並不表示你就認為對方有吸引力，可以發展愛的關係。」年輕人說。

「的確如此。可是，如果你們連朋友都不是，彼此的關係就很難持續了。」

「那可以用時間來解決啊！當兩人墜入情網，或即使最初只是肉體上互相吸引，也可以慢慢發展成為朋友，不是嗎？」

「這種情況當然也有可能，而且還很常見。」巴赫曼先生坦言，「但是你必須明白一個本質上的關鍵，那就是，在一生的愛情中，友誼是不可或缺的因素，因為這是愛情最重要的一部分。如果你不確定某人是不是最適合你的終身伴侶，可以問自己一個問題：『她是不是我最好的朋友？』如果答案為否，你必須在對她承諾愛的關係前，非常慎重地考慮：我真的要跟她共度餘生嗎？」

年輕人寫下重點，抬頭問道：「如果已經做出承諾了呢？這時再開始考慮友情的力量，會不會為時已晚？」

「一點也不晚。」巴赫曼先生答道，「友誼的力量可以拯救瀕臨破碎的關係，彼此可以再次成為朋友，並重建關係。友誼是可以建立的，兩人只需找出共同志趣，一起體驗，並彼此分享。永恆不變的真理就是，當友誼變得牢固，愛也成長了。」

年輕人準備離開之前，說道：「我還有最後一個問題，你遇到你的夢中情人了嗎？」

巴赫曼先生笑了，「當然！」他說，「我還娶了她。我是在一個戶外俱樂部裡認識瑞秋的，一開始，她的外表並不怎麼特別吸引我，而她也不怎麼留意我，直到我們比較瞭解對方之後，事情才有了轉機。我們覺得兩人共處很舒服，她是我傾訴某些個人私隱的第一個人。我們發現，彼此可以分享許多話題，信仰接近，靈魂相通。漸漸的，我們成為很親密的朋友。直到有一天，我才突然發現，自己已經愛上她，並希望跟她一起分享人生。」

當天回家之後，年輕人重新閱讀了今天所做的筆記。他謹記著自己和巴赫曼先生的談話要點：

友誼的力量

♣要找到真愛，你必須先找到真友誼。

♣愛，不是由彼此的凝視所組成，而是兩個人一起向外，往同一個方向看。

♣真正愛一個人，是愛他（她）本身，而非他（她）的長相。

♣友誼是愛情種子成長的土壤。

♣如果你想建立愛的關係，必須先建立友誼。

祕密5
接觸的力量

第二天早晨，年輕人前往市立醫院，會見名單上的第五位：彼得・楊先生。他是這家醫院的外科主治醫師。

楊醫師是個高大英俊的黑人，有著黝黑的短髮和暗褐色的眼珠。當年輕人踏進他的辦公室時，坐在桌後的他站了起來，伸手相迎。「嗨！真高興見到你。」楊醫師緊緊握著年輕人的手說道。

「你好！」年輕人說，「謝謝你抽空見我。」

「喔！那是我的榮幸。」楊醫師請年輕人坐下，並問道：「你想喝點什麼嗎？」

年輕人想了想說：「有茶嗎？」

「馬上來。」楊醫師邊說邊走向門口，開門請秘書幫忙送茶進來。

「你可以告訴我，」楊醫師說，「你是什麼時候遇見中國老人的？怎麼認識的呢？」

年輕人說了在朋友的婚禮上與中國老人相遇的情形，楊醫師像是在傾聽病人訴苦般，耐心地聽著。秘書此時送茶進來，楊醫師倒了一杯遞給年輕人，說道：「我遇見中國老人是十五年前的事了，當時我剛通過外科醫師的資格檢定，所以對這一行很瞭解——至少我當時這麼認為。我認為自己的工作就是剖開病人的身體，治療有問題的部分，然後再縫合起來。這些工作我做得很好，可是，我從不曾坐在病人的床邊。」

「為什麼？」年輕人問。

「我覺得坐下來跟病人談話是浪費時間，而且認為那是護士的工作。甚至當實習醫生花太多時間跟病人閒聊時，我也會責備他們。這聽起來很荒謬，可是過去我總被教導著，優秀的外科醫師技能是展現在雙手上。中國老人花了頗長一段時間才讓我瞭解到：一名優秀外科醫師的技能並非展現在他的手上，而是展現在他的內心。」

年輕人非常專注地聽著。楊醫師繼續說：「有一天，我正在做晨間巡房，一切如常，直到我走進一間病房，看到一個年老的看護坐在病人床邊，握著病人的手。

「『你現在不是應該做自己的工作嗎？』我對這老看護說道。老看護緩緩地轉過頭來，用那雙深褐色的眼睛望著我，說：『是的，可是當你不做自己的工作時，必須有人幫你做。』

「我一聽這話，就失去了耐心，說：『你給我聽著……』我還沒講完，他就舉手阻止我繼續說下去：『請你先別開口，這位女士需要幫助。』

「我當場被激怒了，心想，這老看護竟然敢這樣跟我說話。因為那名病人的腦袋裡有一顆惡性腫瘤，已進入癌症末期，於是我說：『她已經要……』不等我說完，老人又舉手打斷我的話：『現在別說，拜託！』

「於是我走出病房，準備等他出來再說。過了一會兒，老人走出來，直視著我的眼睛，說：『她會活下去的，醫師。』

「我說：『什麼？她會活下去？她的腦瘤是惡性的。』

「他問我：『你曾看過你認為沒救了的病人，後來卻奇蹟般復原的嗎？』

「『當然有！可是……』我回答。

「『你認為是什麼使他們復原？』

「『我認為這不重要，他們是反常的。』

「『不！醫師，他們是奇蹟。』他說，『而是什麼讓奇蹟發生的？愛！愛是全宇宙最有效的藥方，比任何藥物都有效。沒有了愛，外科醫師不過是技工，不是醫生。』

「然後他交給我一張紙條，說：『你如果想學習如何做個醫生，必須去見這些人。』

「我低頭看著紙條，上面只有十個人名和他們的電話號碼。再抬起頭時，中國老人早就不見蹤影了。我對老人說的話感到震怒，便直接走進員工辦公室，想找他出來教訓一頓。可是我們部門的員工名錄裡並沒有什麼中國老人。最初我想，這名錄一定有問題，因為電腦有時會出錯，於是又查了其他部門的員工資料，可是也沒有任何相關記錄，所以我就沒再追究，直到第二天……」

「發生了什麼事？」年輕人問。

「看護小姐通知我馬上到那名女病患的病房。那個長了惡性腦瘤的女人竟然坐了起來，也恢復了食欲，還告訴我說她感覺好多了。我簡直不敢相信自己的眼睛，因為這病人已經被暈眩和噁心折磨了好幾個月，兩天前還剛接受過腦部手術。她感謝我為她做了一次成功的手術。真是不可思議！一個奇蹟發生了！無法想像中國老人到底對她做了什麼，但我知道，他一定做了什麼事。為了進一步瞭解這中國老人，我想，唯一的辦法就是聯繫紙條上的十個人。

「當然，那十個人都見過中國老人，他們都跟我談到了『愛的祕密』。這些祕密我聞所未聞，當然不太相信。可是我又很好奇，想知道中國老人到底如何幫助了我的病人。我從來沒想過愛和健康、治療有什麼關係，畢竟，我們在醫學院裡完全沒有學習過這些。然而，它們的確是有關聯的。中國老人完全正確，愛具有最強的藥效。」

「是嗎？」

「是的，而且已經有研究可以證明。例如，那些享有快樂、愛的關係的人，罹患重病的機率比其他人少百分之十。臨床上也證實，藥物在擁有愛的病人身上，能夠發揮更快、更成功的療效。」

「真難以相信。」年輕人說。

「可不是嗎！」楊醫師說，「尤其對我們專業醫師來說，這項研究更是意義重大。而且，學會那些愛的祕密之後，我漸漸注意到，自己的生活改變了。」

「在哪一方面？」年輕人問。

「各方面。我和家人及朋友的關係改善了，我和女朋友的感情也融洽多了。不過，最大的改變在於工作。我開始把病人當成一個人看待，不再只是病歷號碼。我要特別強調的是，在醫學領域中，有一個愛的祕密是最特別的，那就是『接觸的力量』。」

「接觸跟愛有什麼關係？」年輕人問道。

「接觸的力量實在驚人！可以增進人們的溝通，打破人與人之間的藩籬，這是其他力量無法做到的。接觸是產生奇蹟的動力。不久前，研究學者在倫敦一所教學醫院做了一項有趣的實驗：主治醫師通常會在為病人動手術的前一天晚上，去病房探訪病人，回答病人的任何疑問，並解釋手術中的一般性問題。這實驗的特殊之處就在於，當醫師在跟病人談話時，會握著病人的手。實驗結果顯示，這些病人康復的平均速度，竟然比其他病人快三倍。

「當我們以關懷的態度接觸某人時，彼此在生理上都會產生變化——壓迫性激素降低了；緊張的神經紓緩了；免疫能力增強了——甚至會影響我們的情緒。學習到這些之後，我向醫院的看護人員發起一項『接觸』計畫。我鼓勵所有的看護去接觸、擁抱病人，或握著病人的手。這計畫實施得非常成功。

「我記得有一位病人，是一個年輕的男孩，他因為腦性麻痺而必須躺坐在輪椅上。

我們見面時，我蹲下來擁抱他，突然，他緊緊抓著我的手，試圖開口說話，雙眼則滿含淚水。護士說，這是他三年來第一次對別人有反應。」

「真是太棒了！」年輕人說道。

楊醫師笑著說：「醫院的精神科對接觸的力量感到很好奇，幾年後，他們就在高速公路上做了另外一項實驗。他們請一位女士站在電話亭旁邊，請求每個經過的人讓她搭便車，結果，很少有人願意讓她上車。然後，同樣是這位女士，當她在請求搭便車時，嘗試碰觸對方的手臂。結果，大多數路過的車輛駕駛，不論男女，都樂意讓她搭便車。

「由此可見，我們透過碰觸、擁抱和握手，可以強烈地接收或傳遞愛的感覺；愛可以改變我們的生理狀況、精神面貌乃至情感。所以，接觸對愛而言，實在太重要了。」

年輕人點頭表示同意，他想起自己和家人、朋友都很少做身體上的接觸，很少擁抱，也很少互相碰觸。他會在他媽媽的臉頰輕吻一下，和父親則只是握握手。但是，這些舉動往往沒有真實而溫暖的情感在其中。

「碰觸或擁抱都不太容易。」年輕人轉頭看著楊醫師。

「怎麼會？」楊醫師答道，「你只需要張開手臂，每個人都可以做到啊！」

「是的。然而，雖然你只是想打破藩籬，拉近彼此的距離，但是你不知道對方會怎麼反應，有些人可能拒絕，有些人甚至會產生敵意。」

「你只不過希望有更多的理由促使你去做罷了。記住，愛需要勇氣！你必須主動去做，哪怕可能被拒或感到痛苦。但大多數時候你會成功的，人們會向你張開歡迎的手臂。如果我們總是等待別人先行動，恐怕要等到天荒地老。

「向他人張開雙臂的時候，你會發現張開的不只是手臂，你的心也同時張開了。接著，你就可以體驗到愛的魅力與真諦，而這些都來自接觸的力量。」

晚上，年輕人又讀了一次當天做的筆記：

接觸的力量

- ♣接觸是愛最有力的表現，可以打破人與人之間的藩籬，使人們緊密連結。
- ♣接觸可以治癒病痛，溫暖心房。
- ♣張開雙臂的同時，你也張開了心房。

祕密6

捨棄的力量

兩天之後的一個午后，年輕人坐在市中心的一間小咖啡館裡，對面坐著的女士是名單上的第六個人，名叫茱蒂斯·倫萩。

倫萩太太，三十出頭，結了婚，有兩個小孩。她可說是標準的古典美人：身材修長，面貌姣好，紅褐色的眼眸閃亮亮；鼻子嬌小挺立，有著毫無防衛性的親切微笑。

「我第一次聽到關於愛的祕密，是在大約十一年前。」她對年輕人說，「當時我和男友剛分手，正處於痛苦之中。我一蹶不振，失眠、食欲不佳、無心工作、日漸消瘦……這樣過了整整一個月，我發現自己還是不能接受分手的事實，我根本不相信這段感情真的結束了。

「有一天，我獨自坐在教堂廣場的木頭椅子上。後來，一位中國老人坐在我旁邊。

他從外套口袋掏出一個小紙袋，用袋子裡的麵包餵鴿子。鴿子成群地圍著他，啄食他剝下的麵包屑。沒多久，他身邊竟聚集了上百隻鴿子。接著，他轉過身來，微笑著跟我打招呼，並問我喜不喜歡鴿子。我聳聳肩說：『不特別喜歡。』

「『可是我覺得妳喜歡。』他笑著說，『小時候，我們村裡有個養鴿子的人，他對自己所飼養的鴿子非常引以為傲，還常常對朋友說他有多愛鴿子。可是有一天，當他向我們這些孩子展示他的鴿子時，我開始感到疑惑：如果他真的愛這些鳥兒，為什麼要把牠們養在籠子裡，讓牠們無法展翅飛翔？對於我的疑問，他回答說：『如果不關進籠子，牠們就會飛走。』可是我還是不明白，如果真的愛牠們，為什麼要限制牠們的自由呢？在我的國家有一個說法：『如果你愛一樣東西，讓它自由！如果它會回到你身邊，它就是你的，否則就不是。』」

年輕人又拿出筆記本，一邊聽，一邊記。

倫萩太太繼續說道：「我當時就有一種很奇怪的感覺，覺得他說的故事隱含了某種特別的訊息。我不知道自己為什麼會這樣覺得，因為他不可能知道我的困境。可是，他所說的，和我的情況如此接近；我一直試著強迫男友回到我身邊，我總是認為，只要他留下來，什麼問題都可以慢慢解決。現在回想起來，我當時其實只是不想孤單一人。可那不是愛，對吧？那只是害怕寂寞。

「老人說完，緩緩轉身繼續餵鴿子。我想著他剛才的那番話，沉思了幾分鐘，然後說道：『有時候很難放手讓自己愛的人離開。』他點點頭說：『可是，如果不讓他自由，表示你並不是真的愛他。』我們聊了很久，他提到了『愛的祕密』。那對我來說實在太不可思議了，以前我總認為愛由天定。

「我不相信愛或愛的關係是我們所能掌控的。後來我才明白，命運不是上天註定的，而是被我們的思想、選擇和我們的行為所支配。

「例如，我總是認為，只要找到了愛的關係，我就能夠體驗到愛的歡愉。可是倒過來想，我們是不是在體驗到愛的歡愉時，也創造了愛的關係？老人離開之前給了我一張小紙條……」

「上面寫了十個人名和電話號碼？」年輕人搶著說。

倫萩太太笑著說：「是的！在和這些人接觸的過程中，我愈來愈瞭解愛的祕密。最令人驚訝的是，它們真的有用呢！」

「在哪方面有用？」年輕人問道。

「在明白我們可以改變命運的這部分，我受益最多。我瞭解到，自己是掌控者，而非受害者。那些祕密或多或少對我都有助益，可是對於當時的我來說，其中一項最有效用，那就是『捨棄的力量』。

「愛是不能勉強的。我們必須讓愛的人自由，必須讓他們自由抉擇、自由生活，而不是由我們來決定他們的生活方式。否則，我們就與那個養鴿子的人無異。

「放手讓你愛的人離開並不容易，但那是唯一方法。如果不捨得，就會一輩子生活在痛苦、氣憤和沮喪之中。但是請注意，我們必須在關係仍持續時，就學會放手。」

「這是什麼意思？」年輕人問道，「如果你正處於這段關係之中，幹嘛要讓對方走呢？」

「因為我們都需要空間，人在一段關係中也是需要白由的，否則很快就會感到被束縛。如果愛一個人，就得尊重對方的希望和需求。如果緊巴著某人不放，你很可能使他窒息，而這種感情通常是妒忌、不安全或害怕，不是愛。」

「所以，放手的意思就是讓對方自由？」年輕人說。

「是的。不過，放手的意義還要再深入一點。我們應該學會捨棄，否則這可能會成為愛的障礙。」

「譬如？」

「譬如，我們必須學會捨棄對別人的偏見和價值判斷。」

「嗯……我不太明白。」年輕人從筆記本上抬起頭來。

「我再解釋詳細一點。如果說我們對某個人或某一類人持有偏見，這偏見不可避免地會影響我們對他們的態度。如果堅持這種偏見，我們怎麼可能友善地對待他們？偏見就是，在真正瞭解一個人之前就對他們做出評斷。大部分偏見都不正確，把某些人分門別類是很可怕的。你想過人們有哪些偏見嗎？」

年輕人搖搖頭問：「哪些？」

「譬如『黑人都是罪犯』、『愛爾蘭人都是笨蛋』、『女人都是爛駕駛』、『猶太人都是吝嗇鬼』或『所有非猶太人都反猶太』……全屬胡說八道，還阻礙了我們去愛。

「此外，還必須捨棄『自我』。很少人意識到，人們的自我是愛的最大障礙物。」

「怎麼說呢？」年輕人問。

「你知道有多少人會為了一點芝麻小事爭論不休？即使爭辯的話題微不足道，他們還是會辯個面紅耳赤。甚至到最後，連自己都忘了是怎麼吵起來的！為了證明自己的觀點是對的，有人甚至不惜毀滅彼此的關係。」

「可是有時候，你得指正別人。」年輕人說，「如果他們的某些看法不正確，你應該向他們指出來，不是嗎？」

「我不一定會這麼做。」倫萩太太答道，「尤其是，如果對錯並不那麼重要的話題，為什麼要浪費時間辯論不休呢？證明自己是對的，別人是錯的，有什麼特別意義嗎？應該捫心自問的是：『別人的看法對我真的那麼重要嗎？』以及『為了證明自己的看法而破壞彼此的關係，值得嗎？』如果答案都是否定的，為什麼還要不厭其煩地爭辯呢？」

這道理挺簡單，年輕人當然理解。然而，因為他常常為了一些不重要的話題而跟朋友辯論不休，一想到此，他不禁有些心虛。

「有人說，」倫萩太太繼續說道，「生活中，有時候你得在『愛』和『對』之間做個選擇，或者贏得辯論，或者贏得愛。如果愛是你的優先選擇，何苦把時間浪費在證明

『人錯我對』這樣一件無意義的事上？這時，就需要取捨了。

「記住，如果想得到愛，就必須排除任何愛的障礙物，『自我』只是其中之一。我們需要捨棄的，還有生氣、憤怒，以及怨恨。」

「但是，如何做到不生氣、不怨恨呢？」年輕人問。

「兩個字：寬恕。要體驗愛，必須先學會寬恕。」

「可是，不是有句話說『以眼還眼，以牙還牙』嗎？」

「如果冤冤相報，這世界上不是會有很多『瞎子』和『無齒』的人嗎？怨恨毀滅心靈，寬恕則讓愛的靈魂自由。世上沒有完美的人，學習寬恕的過程卻可以使我們擁有完美的人際關係。每個人都會犯錯，如果期待別人寬恕我們，我們當然也必須寬恕別人。人性本善，即使是最兇惡的罪犯，他的人生同樣也是從純潔的嬰孩時代開始的。試想，你如果也有那樣的成長經歷與背景，能保證自己不比那罪犯更惡劣嗎？」

「當然，捨棄是愛的十個祕密之一，而這十個祕密是同等重要的。可是，你不建議人們壓制憤恨和恐懼嗎？」年輕人說。

「不，」倫萩太太說，「生氣、憤怒和怨恨等情緒本身，就是與生俱來的。我的意思是，如果期待愛的經歷，我們必須捨棄這些負面的情緒。如果時刻緊抓著它們不放，等於是把自己關入情緒的囚籠，這會阻礙我們去愛。

「這些年來，捨棄的力量不只幫助我從情感創傷中復原，還使我在後來遇到許多困苦時，可以迅速重拾信心。我還記得罹患癌症的父親在醫院中去世的那一天，是我這一生最痛苦的日子。我父親非常痛楚，我不願意他死去，卻也不希望他繼續受苦。那一刻我恍然明白，愛，有時候指的是捨棄，所以，我放走了父親，因為我愛他。」

那天稍晚，年輕人坐在房裡，再次閱讀當天的筆記：

捨棄的力量

♣如果你愛某樣東西，就讓它自由。如果它回到你身邊，它就是你的，否則，它就不是你的。

♣即使是在一個穩定的愛的關係中，人們也需要自己的空間。

♣我們如果要學會去愛，得先學會寬恕，並捨棄所有曾經受過的傷害和委屈。

♣愛，就是捨棄自身的恐懼、偏見、自我和憤恨。

♣今天，我要捨棄所有的恐懼，過去對我已經沒有任何影響。今天就是我新生命的開始！

回憶如潮水般湧向年輕人：父母在他六歲時就分開了，而個人感情的部分，多年來也是失意的時候居多。年輕人突然間明白了，遇到中國老人之前，自己有一種矛盾的情緒，既害怕孤獨一人，又對承諾一段關係充滿恐懼。他明白自己不能再這樣下去了，不能再拖著過去的痛苦活在今天。應該捨棄這些痛苦和恐懼，他決定要重新過好每一天。

可是怎麼做呢？年輕人回頭看看和普契亞博士見面的筆記，終於找到一個方法可以撫平過去那些負面的潛意識，那就是「鄭重的宣言」！突然間，彷彿奇蹟一般，一句「鄭重的宣言」閃過他的腦海：「今天，我要捨棄所有的恐懼，過去對我已經沒有任何影響。今天就是我新生命的開始！」

年輕人把這則「鄭重的宣言」寫在筆記後面，就在他和倫萩太太談話的筆記之後。

祕密7

溝通的力量

「多數人最大的問題不是不能愛，而是不會表達、溝通他們的愛。我們如果希望擁有愛的經歷，希望創造愛的關係，就必須跟他人溝通彼此的感覺。這也是我的大問題，所以，對我來說，愛的祕密中最重要的，就是『溝通的力量』。」

這天中午，年輕人和克里斯．培瑪先生坐在街邊的一張長條椅上，緊靠著一家專門為計程車司機提供三明治的店鋪。培瑪先生是名單上的第七個人，一位職業計程車司機，有著削瘦的五短身材、銀灰色的頭髮和淡藍色的眼睛，看起來有五十歲了。

「有趣的是，我竟然沒有意識到這個問題，直到遇見了中國老人。」培瑪先生說，「那天晚上，他向我招手時，我已經準備回家。他問我能不能載他去火車站，因為他要趕搭十一點二十分的火車去約克。雖然車站跟我家不同方向，我還是答應了。我們在車上閒聊——新聞、天氣、球賽……等等。可是，當我們無意中談到有關人際關係和愛的主題時，我告訴他，別跟我談愛。因為當時我跟老婆的關係正遇到瓶頸，所以我不要再想這種事了。隨後，他說了一些話，令我印象深刻。

「他說：『讓人類苦惱的最嚴重病症之一，就是沒有能力溝通。』我不懂，就請他再解釋清楚一點。他說：『有一個人，已經不記得上一次跟太太說「我愛你」是什麼時候的事了，也不記得上一次跟太太說「謝謝」是在多久以前了。這人雖然想當好丈夫，可是他連跟老婆說愛的勇氣都提不起來。你能想像嗎？他竟然沒有勇氣說！』

「我當然可以想像啊！因為我的情況就跟那個人一模一樣。所以我就說：『可是，我敢肯定他老婆一定知道他愛她。』

「老人說：『她可能知道，也可能不知道，或許她每次都需要被提醒。你很難相信，親耳聽見別人跟你說「謝謝」或「我愛你」，會讓情況發生多大的變化。這是自然而然的，我們都需要真實地感覺到被感謝。』

「我說，我從來沒這麼想過。中國老人看著我繼續說：『這是愛的祕密之一——溝通的力量。』

「我希望老人再詳細解釋一下，可是車站已經到了。老人下車之後，轉過身對我說：『謝謝你載我這一程！你真是個敬業的司機，能坐到你的車真好。』

「我愣住了。開計程車這麼多年，從來沒有哪個乘客像他這樣真誠地感謝過我、恭維過我。他一邊遞上車費，一邊說：『再次謝謝你！』我一數，發現他付了雙倍的車錢。我大叫說你給太多車費了，他微笑著回頭說：『我沒有。』然後轉身就離開了。

「我再看看手上的鈔票，發現裡面附了一張小紙條，上面寫著『愛的祕密』，還有一串人名和電話號碼。我跳下車，追了過去，心想這張紙條也許對老人很重要。我跑進車站，直接跑向服務台，詢問十一點二十分開往約克的那班火車該在哪個月台上車，希望能追上那位老人。車站服務人員查了一下時刻表，說我一定搞錯了，沒有十一點二十分開往約克的班次！他說：『其實，下一班開往約克的火車要到明天早上才有。』

「第二天，我打電話給名單上的那些人，意外地發現，他們不但對中國老人印象深刻，而且都知道老人提到的『愛的祕密』。接下來的幾個星期裡，我分別和那些人相約見了面，也學到了更多關於愛的祕密。當時我很懷疑，也很好奇，可是那些祕密竟然真的對我也有效呢！它們真的改變了我，尤其是『溝通的力量』。

「你知道嗎，當我們與其他人的關係出現問題時，如果想一想問題的根源，通常會想到同一個答案——我們無法溝通。我們很少向對方傾訴自己的感受，也絕少仔細傾聽對方究竟要說什麼。很多人甚至在餐桌上不愛講話，反而是坐在電視機前吃東西時會說說話。如果這種情形一直持續下去，我們就等於杜絕了真正的溝通，也杜絕了愛。」

年輕人開始記筆記。

培瑪先生繼續說：「我們如果要學會愛，就得先學會溝通。這也是我以前很不擅長的，我總是把問題留在自己心裡，很少與別人分享感受。遇到中國老人之後，我決定告訴太太我愛她。我早就想不起來，上一次對她說出這三個字是什麼時候。我試了好幾次，可就是說不出口。最後，我做了一個深呼吸，迅速吐出了那三個字。太太很驚訝地看著我，她被嚇到了，帶著一臉不敢相信的表情問我剛剛說什麼？於是我又說了一次『我愛你』，這次容易多了。淚水突然湧出她的雙眼，她抱著我說：『我也愛你！親愛的！』

「這種感覺真好！雖然那時已經很晚了，但我還是決定打電話給住校的兒子，告訴他我愛他。自他長大以後，我就再也沒有跟他說過這三個字了。我在電話裡說：『賽門，我只是打電話告訴你，我愛你，我想現在應該讓你知道。』電話那端安靜了一會兒，然後我兒子說：『爸，你喝酒了嗎？你知道我這裡幾點了嗎？』我忘了他那邊的時間比我這裡快兩個小時。我說：『對不起，把你吵醒了，兒子！我是很認真的，只想讓你知道我愛你。』我兒子說：『我知道啊，老爸！不過聽你這麼說我還是蠻開心的。喔，順便告訴你，我也愛你！現在我可以去睡覺了嗎？』

「有些人會覺得，光憑『我愛你』這三個字哪能改變什麼，這太可笑了。可見他們顯然沒有試過。」

年輕人深吸一口氣，他就是這種人，面對母親時，他都說不出這三個字，更別說對朋友了。

「我們如果不會表達、溝通我們的情感，」培瑪先生繼續說，「就無法接受或付出愛。我愈來愈覺得溝通很重要。仔細回想自己的過去，我發現自己不僅從不曾對別人說過我愛他們，而且很少恭維對方，或告訴對方我有多麼感謝他們。我太太幫我洗衣服、燙衣服，超過二十年了，我也從來沒有謝謝她。

「後來，發生了一件奇妙的事：當我開始跟太太，以及身邊的其他人分享感受，說出我對他們的關心與感激後，他們對我的態度也改變了。他們也開始告訴我，他們非常愛我，非常珍惜我。而且，當我真誠地敞開心胸與別人溝通，我跟其他人在各方面的關係也都得到了改善。」

「你先前說到，你從不曾與人分享感受，只是埋藏在自己心裡，」年輕人說，「這點很重要嗎？」

「是的，謝謝你提醒我。愛，表示分享和溝通。但是，這不只限定於分享你對某人的感覺，還包括你的希望、恐懼和難題。如果你把所有的想法都鎖在心裡，自己不但會因此變得心胸狹窄和沮喪，那些親近的朋友們也無法適時地給予你幫助、同情或支持。」

年輕人想起中國老人說過的話：「每一個問題都會帶來一份禮物，那將豐盈你的人生。」威廉太太也說過同樣的話。或許，這的確是真實的。

「我認為這點毋庸置疑。」培瑪先生繼續說，「人們如果要體驗愛，或增進彼此的關係，就必須先學會溝通。人們只有通過感激才能體驗到愛。我最重要的發現是，愛不是固定不變的東西。人們通常以為，如果你愛某人，一切就塵埃落定，從此就會幸福快樂地過日子。事實卻是，愛就像一株植物，需要我們精心培育；植物如果不成長，不開花結果，就會凋零、死去。而溝通就像水，沒有了水，植物是活不成的。」

年輕人抬頭看向遠方，心想，他從前總是不敢對別人說出他的愛和關懷。

「我明白了。」年輕人收回目光，轉向培瑪先生說，「可是，你是怎麼學習溝通的？尤其是，如果你並不擅長溝通技巧的話。」

「的確，我從來都不善於溝通，這也是為什麼溝通的力量對我最有幫助的原因。」培瑪先生說，「可是我保證，每個人都可以學會溝通的技巧，只需要克服自己的恐懼；有些人怕自己會因此而顯得傻氣，或擔心別人會拒絕他們。我得到的最好建議就是，多思考以下問題：『如果你即將死去，但還可以打一個電話，你會希望打給誰？你會說什麼？……還有，你還在等什麼？』

「你只要記得，每次你看見某人，都有可能是最後一次。要在你還有機會的時候，告訴他們你想說的話。生命中最悲慘、最痛苦之處就在於，沒有在活著的時候說出對他們的感受，說出他們對你有多重要。

「我們必須靠溝通來預防一段關係出現問題。事實上，關係出現問題，經常是因為一方或雙方無法說出自己的想法或感受，結果就會產生憤怒和怨恨，直到某一方的脾氣爆發出來。如果我們學著去溝通，就可以及早消除委屈感。也就是說，要向我們所愛的人表達自己，並且聆聽對方向我們訴說他們的感覺。我們經常聽而不聞，聽著別人說話，卻沒有真正聽懂或聽進去。

「而且，如果不溝通彼此的感受，就無法建立關係。我的意思是，你如果不約一個女孩子出來，怎麼跟她約會呢？是不是？」

年輕人點點頭，轉頭望向別處，心想著，自己就是因為害怕溝通，平白放棄了多少機會啊！

「你還好嗎？」一陣沉默之後，培瑪先生看見年輕人正茫然地望著空無一人的對街。

年輕人回過神來，答道：「我很好，我只是在思考。」

「你知道嗎？」培瑪先生接著說，「當我們學會真誠地、開放地溝通，分享彼此的經歷和感受，人生是會改變的，就像那個迷失在森林裡的故事一樣。」

「那故事的內容是什麼？」年輕人問。

「故事是說，有一個人在森林裡迷路了，他試過好多條路，每次都希望能走出森林，可是每次都會回到原處。還有許多沒有走過的路徑，等著他去嘗試，但他又累又餓，便坐在地上思索，接下來該嘗試哪一條路。就在此時，他看到了另一個旅人走向他。於是他喊道：『你可以幫幫我嗎？我迷路了。』那旅人彷彿也鬆了一口氣，說道：『我也迷路了。』於是，他們彼此分享各自嘗試不同的路的經驗，讓對方不再重複錯誤的路線。情況漸漸明朗，他們在談笑中忘了疲累和饑餓，最後，終於一起走出了森林。

「人生就像一座森林，總會迷失或疑慮，如果能夠分享彼此的經驗和感受，我們就會覺得人生旅程沒有那麼糟，有時甚至能找到更好的道路、更好的方式。」

傍晚，年輕人開始閱讀今天所做的筆記：

溝通的力量

- 當我們學會真誠、開放地溝通，人生便會因此而改變。
- 愛對方，就要和對方溝通。
- 讓你所愛的人知道你愛他們、感激他們。永遠別害怕說出這三個神奇的字眼：我愛你！
- 永遠不要放棄任何讚美別人的機會。
- 隨時對你愛的人留下愛的語言——那可能是你最後一次看見他們。
- 如果你將死去，但還可以打一個電話，你會希望打給誰？你會說什麼？……還有，你還在等什麼？

祕密8
承諾的力量

幾天後，年輕人見到了史丹利．康倫——名單上的第八個人。

史丹利．康倫是一所學校的教務長，那所學校位於城裡最混亂的一區；那一區犯罪率和失業率都嚴重偏高，街道建築陳舊破爛，商店鐵窗深鎖，人行道上滿地都是垃圾。年輕人根本不會選擇在這樣的地區工作或居住，然而，當他走進校門的時候，非常意外地發現，自己好像進入了另一個世界；步道兩旁的草坪修剪得乾淨整潔，美麗的花圃也隨處可見，和校門外的破敗環境截然不同。

康倫先生身型高大壯碩，臉上戴著一副細框眼鏡，這使他的雙眼看起來更小。他滿面春風地歡迎年輕人的到來。

「這裡好找嗎？」他說。

「很好找。」年輕人說。

「請坐！」康倫先生說，「你是什麼時候認識中國老人的？」

「幾個星期之前。」年輕人問道，「那位老人到底是誰呢？」

「我不知道他到底是誰，也不知道他從哪裡來，只知道如果沒有他，我不會是今天這樣。」

「為什麼？」年輕人好奇地問。

「我遇到中國老人至今已經超過二十年了。」康倫先生解釋道，「那是在耶誕節之前的某一天，我坐在辦公室裡值班，一邊做事，一邊喝點小酒。不知什麼時候，中國老人坐在我旁邊的椅子上。我請他喝酒，他禮貌地拒絕了。

「我們開始聊天，沒過多久，我就把所有心事都挖心掏肺地告訴了他。老實說，當時我才三十多歲，卻已經飽受工作和人際關係的困擾，生活毫無目的，隨波逐流，找不到人生的方向。接著，老人跟我提到了愛的祕密，但我卻只當做笑話來看待。事實上，我還以為那中國老人是我在夢中見到的。可是老人離開後，當我把手伸進外套時，竟發現了一張小紙條，上面寫著十個人名和電話號碼。」

年輕人微笑起來。

「當然，這時誰都會被激起好奇心。我想多瞭解一些關於中國老人的事，便聯繫了名單上所有的人。因為這一機緣，我學到了愛的祕密。回顧過去，我可以清楚看見那些愛的祕密是如何影響著我，如何改變了我的生活心態與精神面貌；我開始以全新的眼光看待自己和他人，世界好像也從灰白變成了彩色。」

年輕人拿出筆記，開始做記錄。

「其中有一個祕密對當時的我特別有幫助，」康倫先生說，「那就是『承諾的力量』！人們都以為愛只不過意謂著浪漫的故事和虛無的激情。但是我要告訴你，愛其實還包含了更多意義，還與承諾有關。」

「可以請你詳細解釋一下嗎？」年輕人抬頭請求。

「當然可以！事實上這很簡單。如果你真想體驗源源不絕的愛，如果你希望愛人並且被愛，如果你真的很渴望持久的愛的關係，你就要對愛付出承諾。我發現我以前之所以不能擁有持久的愛，有一個重要原因，那就是，我害怕承諾。」

「為什麼？」年輕人問。

「兩個字：害怕！」

過去幾個星期以來，年輕人已經多次聽到這兩個字。「害怕是愛的最大障礙」，而大多數愛的祕密都在教你克服害怕：害怕被拒絕、害怕愚蠢、害怕失落。

「我想這是我從小就抗拒的東西。」康倫先生解釋說，「父母在我十歲時就離婚了，我目睹了分離的痛苦。我從來不知道何謂安定、安全的家庭。我想，這一定是導致我無法做出任何承諾的原因。

「當時，我還不瞭解，當我無法對自己承諾一段關係的時候，我就永遠無法創造持久的愛。實際上，你若真的深愛某人，就要對她和這段關係做出承諾；你要保證自己永遠在她身旁，並把她的重要性放在其他人或其他事之前。

「我相信，我們如果想要得到任何事物，尤其是愛，就必須想辦法克服恐懼，同時對我們所愛的人許下承諾。

「缺乏承諾是一個很普遍的問題。當然，如果你過去曾經被拒絕、傷害，你自然會避免重蹈覆轍。

「這就是為什麼有人在被傷害之後，潛意識裡都堅決不願意和別人太親近，因為他們不想再承受分離或失落的痛苦，他們對痛苦的恐懼遠大於對愛的渴望。所以，他們躲在灰色、無愛的世界裡，寧願生命中沒有愛的歡愉，也不願遭遇充滿失落的痛苦。最後，他們卸去了自己的感情和選擇，雖然知道可以擁有愛，卻害怕體驗失去愛時的苦痛，終至絕望地活著。」

「他們的確是有苦衷的，不是嗎？」年輕人說。

「不完全是這樣。這就好像小孩子說，我不要聖誕禮物，因為我怕有一天會失去它們。我個人認為，人們對承諾的無能為力，基本上就是關係出現問題的癥結所在。」

「怎麼說呢？」年輕人問道。

「每一段關係都有高潮、低潮、順利或不順利的時候，對嗎？」

年輕人點頭同意。

「不論遇到多麼棘手的瓶頸，只有承諾可以讓這段關係存活下來。例如一對伴侶，彼此之間一發生什麼不愉快，其中一方就威脅要結束關係的話，這關係遲早會真的結束。因為他們把彼此的關係當做犧牲品，他們看待這件事的態度不夠慎重，不覺得愛需要優先權。

「要建立成功的關係，必須雙方都把愛放在最重要的位置，比他們的事業或財物更重要，比他們的車子或衣服更重要。簡而言之，絕對不要想到分手。不管爭吵多嚴重，誰都不能威脅結束關係。一旦有分手的念頭，再微小的念頭都會帶來大問題。

「當你對某事付出承諾，工作也好，一段關係也好，甚至一場球賽，什麼都行，那麼，不論事情變得多困難，都不可以選擇放棄。這就是承諾的意義。有時候就因為我們沒有給予承諾，所以很容易放棄。

「每個人都需要愛和愛的關係，但真正的問題在於：『你對愛有多少承諾？你對自己有多少承諾？』」

「這句話是什麼意思？」年輕人迷惑地問道。

「這麼說吧，你是不是對自己有足夠的承諾，準備好面對被拒絕或失敗，並願意為創造愛做任何事？如果你想體驗愛的關係，除此之外別無他法。所以，如果你正在思考某段關係是否合適，可以簡單地問自己：『我對這個人和這段關係有無承諾？』

「承諾是生活中最基本的元素，畢竟，慈愛的母親不會對她的孩子說：『我今天愛你，可是我不知道明天還會不會愛你。』你瞧！母親是永遠愛孩子的，無論順境逆境，都不會改變。

「只有無法付出承諾的時候，才會出現問題。以我認識的兩個人為例，這兩人都有太太和小孩，其中一個把所有的時間都花在辦公室和高爾夫球場上；另一個刻意找了一份可以讓他有時間陪伴太太和孩子的工作。其中哪一個比較可能創造出愛的關係？你不用想也能猜到。」

年輕人想了想，說道：「你的意思是說，如果希望和愛人在一起，過著充滿愛和安定的生活，就必須對自己許下承諾？」

「我自己就是這麼做的。」康倫先生笑著說，「簡言之，你必須視愛為第一要務，而承諾可使你分辨出愛和喜歡的不同。我曾在一個電視談話節目中，看到一位美國參議員描述自己在二戰期間的經歷，他說，當時他背部受重傷，幾乎癱瘓。這位參議員一回想起這段經歷，就潸然淚下：『我爸爸坐了三天三夜的火車來看我，他年紀大了，而且因為患有關節炎而跛著雙腿，可是，他竟在火車上站了三天。』參議員的聲音哽咽了，『他……的腿一定很痛，當他抵達的時候，我看到他的腳踝又紅又腫……可是，他做到了！』

「你知道了吧！這就是承諾！成千上萬的父母每天都在為孩子犧牲自己，他們把孩子的需求和欲望擺在第一位，甚至超越了他們自己。承諾是真愛的試煉品，如果無法對某人付出承諾，你就不是真的愛他們。」

年輕人說：「難道沒有例外嗎？」

「我想不出有什麼例外。再比如說，我為什麼會教書？就像之前提到的，我茫然地生活，對任何人、任何事都沒有承諾。遇見中國老人之後，我開始學習愛的祕密，決定做些有價值的事，並把這些幫助過我的知識分享給大家。

「接受這份工作的時候，我其實是有顧慮的。」康倫先生坦言，「二十年前，這所學校的問題很嚴重！有些孩子吸毒，甚至販毒，校內外每天都有人打群架，而且大多數孩子離開學校後就很少讀書。不過這也是我願意來這裡的原因。」

「你為什麼要選擇在這種學校教書呢？」年輕人不解地問。

「因為這是一項挑戰，我要讓這些孩子有所不同。我曾讀過一則故事，是關於在巴爾的摩一處貧民區的調查研究。市立大學的一位社會學教授要求他的學生到那個區域的學校裡做調查，然後針對每個孩子寫一份評斷他們未來的報告。毫無例外的，每一份報告的結論都一樣：『未來毫無希望。』

「二十五年之後，另外一位社會學教授決定延續這個調查，再度派出學生去尋找當年接受調查的孩子們，看看他們的現狀如何。

「有二十個孩子已經搬離那個地方，無法追蹤。可是其餘一百八十個孩子當中，有一百七十六個得到了卓越的成就，包括合格的律師、醫生和各行專業人士。

「教授十分驚訝，他決定再深入調查，並與每一位受訪者面談。他問他們：『你成功的原因是什麼？』答案竟然都一樣：『我的老師。』

「那位老師依然健在，雖然已是年近九十高齡的老太太，但仍保持著旺盛的精力和年輕的心態。教授去拜訪這位老師，並請問她如何教導那些孩子，竟然能讓他們從如此惡劣的環境中脫穎而出，最終獲得成功。『這很簡單，』老太太笑著說，『我愛那些孩子！』

「這故事觸動了我的心弦，激勵我跟隨那位偉大教師的腳步。我明白，有了承諾的力量，任何事都可以成功。所以，我回到學校接受教師訓練，然後到這個貧窮的地區從事教學工作。一開始並不順利，甚至好幾次我幾乎想放棄，但我一直記得這個信念：一旦做出承諾，就沒有機會選擇放棄。

「現在你可以看到，我們以學校為榮。這些孩子至少擁有成功的機會，並非因為他們受了什麼特別的教育，而是因為我們關心他們、愛他們，我們承諾要幫助他們發揮出自己的潛力。」

當晚，年輕人讀著這一天所做的筆記：

承諾的力量

- 如果要得到源源不絕的愛，就必須對愛做出承諾，這承諾會反映在你的思想和行動上。
- 承諾是真愛的試煉品。
- 如果要得到愛的關係，你必須對這關係許下承諾。
- 一旦對某人或某事做出承諾，就沒有機會選擇放棄。
- 承諾可以幫你分辨一段關係是脆弱，還是堅固。

祕密9

熱情的力量

隔了一天，年輕人坐在名單上第九個人的辦公室裡。彼得．麥金特先生是一家大廣告代理商的資深決策者，位在大樓內的這間辦公室，視野很好，正對著城市的東南方。

「從我第一次聽到愛的祕密，至今已有十多年了。」麥金特先生說，「一切歷歷在目，彷彿就在昨日。那天晚上我在辦公室加班，大約八點鐘，我把桌子收拾乾淨，正想著該怎麼跟太太說我想要離婚。我們曾經瘋狂地相愛，可是不知怎的，一切都開始不對勁了。我們到底是從什麼時候開始感覺不再愛對方了？我不知道。我只知道，我們已經失去了彼此曾經擁有的，並且不再嘗試重新擁有。婚姻裡已沒有愛情，即使是週末，我們也很少在一起。

「那晚我堅決地想著，該結束了，而唯一的解決之道就是分手。忽然，辦公室的門被打開了，走進來一個清潔工──一位中國老人。他吹著口哨，是貝多芬第五號交響曲的調子。」

年輕人微微一笑。

「我問他為什麼那麼高興，他回答說：『戀愛的時候不該快樂嗎？』

「『戀愛？』我說，『你應該過了那年齡了吧？』

「老人說：『愛，讓我感覺年輕有活力。』

「我說：『那感覺一定很棒。』

「『是啊！』他露齒一笑，『我想，像你這樣的人一定知道戀愛的感覺吧！』

「『老實跟你說，那是好久以前的事了。』我說。

「老人說：『聽你這樣說，你就好像某個我認識的人──一個婚姻出現問題的朋友，他想離婚。』

「一聽這話，我不由得目瞪口呆、臉頰僵硬。老人接著說：『他們夫妻曾深愛對方，可是多年以後，彼此卻漸漸疏遠了。你知道為什麼嗎？』我搖搖頭，老人繼續說：『因為他們忘了愛的祕密。』

「這是我第一次聽到愛的祕密。他解釋說，愛的祕密包含十項永恆不變的法則，可以幫助我們創造愛和愛的關係……無限的愛。然而，我是個懷疑主義者，不太相信真有什麼愛的祕密可以改變我的現況。

「我雖然一心為自己的婚姻危機發愁，可是一方面出於禮貌，一方面又有點好奇，所以繼續聽老人說著。我得承認，他說的很多事情的確有道理。老人離開之前，拿出一張紙條給我，上面寫了十個人的名字和電話號碼。他說，我如果想學習愛的祕密，可以跟這些人聯絡。

「我把紙條塞進口袋，然後收拾東西準備回家。這時，辦公室的門又開了，進來另一位清潔工，這次是一個女人。我對她說，她的同事剛剛清理過了，她卻說她沒有同伴，辦公室的所有清潔工作全由她一人負責。

「我聽了背脊一陣發麻，立刻打電話去清潔公司詢問，他們也說，的確沒有這麼一個清潔工。真是太奇怪了，我生平第一次感到興奮，迫不及待地想把這件事告訴別人，便從辦公室打電話給我太太。以前我很少這麼做，她接到電話，還以為出了什麼事。等我說完事情經過，她竟然也跟我一樣覺得很有趣。

「那天晚上，很久以來第一次，我們一起坐在餐桌邊，認真地交談。我們好像攜手開始了一段探險，因為我們都想知道那位中國老人究竟是什麼人，以及他所說的愛的祕密到底是什麼。

「接下來的幾個星期裡，我們一起拜訪了名單上所有的人，並一點一滴地感受到那些祕密在我們生活中所造成的影響。難以置信地，那些簡單的道理竟會對我們的生活如此重要。許多變化產生了，不只是我們夫妻之間的關係增進到剛結婚時那麼融洽，就連我們和朋友、家人以及工作夥伴的關係，也都有所改觀。

「一天早上醒來，我感覺自己又戀愛了，不只是和太太——還跟生活戀愛了。」

「這些祕密的影響力真有那麼神奇嗎？」年輕人問道。

「是的，這些祕密為我生活中的各個面向都注入了新的活力，不過，對我影響最深的，就是『熱情的力量』。」

「熱情？」年輕人不解地從筆記本上抬起頭來，「我還以為愛跟肉體的吸引力沒多大關係呢！」

「沒錯啊！」麥金特先生說，「我說的熱情並不在於性或肉體方面。熱情是指非常強烈的興趣和熱心，當你對某人、某事或某物持有熱情的時候，你會深深地關心他們，你會持續關心他們的福祉。正因為如此，我們如果對任何人或事失去了熱情，也就失去了對愛的感覺。同樣，如果你對某人失去興趣和熱心，你就很難喜歡他。」

「嗯！沒錯。」年輕人表示同意。

「愛的關係需要用熱情來維繫，」麥金特先生解釋道，「大多數關係一開始都很不錯，彼此都懷有強烈的熱情，總是充滿亢奮、熱心和興趣。問題是，純粹肉體的熱情無法持久，雙方很快就會覺得無趣、無聊了。

「熱情是點燃愛的神奇火種，一旦失去這火種，關係就會慢慢死去。一開始熱情如火，什麼事都像奇蹟一般，可是有一天醒來，發現熱情走了，愛也就不復存在了。我跟我太太就是這樣，所有的熱情、奇蹟和浪漫都消失了。」

「可是熱情離開以後，你怎麼再找回來呢？」年輕人問。

「創造它。」麥金特先生說。

「熱情怎麼創造？」年輕人說，「我認為熱情是身體的化學作用的結果，有就是有，沒有就是沒有，怎麼可能無中生有呢？」

「熱情是一種強烈的興奮感和熱愛感，就存在於我們的興趣範圍內。」麥金特先生解釋說，「所以，熱情可以被我們身體的化學作用或性的吸引力激發出來，可是肉體的熱情很難持久，也無法維繫愛的關係。更強烈的熱情，是來自於我們的思想和感覺。我們對某事有興趣或渴慕的時候，就會變得非常熱情。這意謂著，在愛的關係裡面，我們會對對方十分投入。」

「這聽起來不錯。」年輕人說，「可是，如果對方已經沒有什麼可以引起我的興趣，更不要說讓我感到興奮，這時候又該怎麼辦呢？」

「那你就必須在對方身上找出能夠激起你的興趣的事，否則這段關係就會沒有熱情，兩個人也就無法在關係中獲得快樂。」

年輕人想了想說：「也許你是對的。就我而言，過去擁有的大多數關係，都因為我對另一方失去了興趣，終至結束。剛開始時，一切都是新鮮、有趣而令人興奮的，但當我們再進一步認識彼此，關係就逐漸變得陳腐、無聊。該如何防止這種狀況發生呢？有什麼實際的方法可以永保熱情？」

「的確是有方法的。」麥金特先生說，「首先，你可以把過去讓你產生熱情的經歷，再重新創造出來。譬如說，你可以帶著伴侶回到度蜜月時住過的旅館，或是去你們第一次約會的餐廳共進晚餐。

「你也可以做一些發自內心的事情，譬如，偶爾做些令伴侶驚喜的事……然後，神奇的事就發生了：對方也會做些讓你開心的事來回饋你。於是，你們的關係很快就會充滿驚喜。我和我太太會做的一件事就是，兩人一個月至少出去約會一次；第一個月由我做主，我太太要等到當天那一刻，才會知道我安排了什麼；下個月換我太太做主，而我也會得到一個驚喜。我們彼此承諾，不論發生什麼事，都一定要維持這樣每月一次的驚喜。

「我學習到熱情的力量之後，會刻意去做一些我知道她會喜歡的事：為她買一個意外的小禮物、花更多時間在家裡陪她，並對她的生活細節保持興趣。」

「你是說，你以前對她的生活不感興趣？」年輕人問。

「一開始當然有，可是漸漸地，每件事都一成不變了。日復一日，年復一年，千篇一律的生活使我們喪失了對彼此的熱情。許多瑣碎的事情將我團團包圍，我對她的生活不太在意了。我從不曾認真地問她日子過得開不開心，不曾問她每天做了什麼、去了哪裡……可是，當我開始留意她和她的生活時，神奇的事發生了——她也開始關心我和我的生活，這種關心就像滾雪球一樣，愈滾愈大。

「如果希望活得快樂，就需要別人對我們付出熱情，我們可以對工作、信仰和休閒娛樂感興趣，可是，最終還是需要別人給予我們關懷。愛和快樂，在這方面的本質是一樣的，我們要做的，只是每天都熱情地活著。」

年輕人回到家，把筆記又仔細地讀了一遍：

熱情的力量

- 熱情點燃愛，並讓愛永生。
- 持久的熱情並非來自肉體的吸引力，而是來自內心的承諾、關懷和興趣。
- 曾經讓你產生熱情的經歷，可以使你再次創造出新的熱情。
- 驚喜或發自內心的言行，都可以創造出熱情。
- 愛和快樂的本質是一樣的，我們要做的，只是每天都熱情地活著。

祕密10
信任的力量

年輕人自從遇到中國老人，並學習有關愛的祕密以來，至今已逾一月。毫無疑問，他的生活已經有所改變……可是，他依然單身，所祈求的特殊關係也沒有因此而來到，他仍疑惑自己是否能找到這份愛。他寧願相信的確有個人正在某處等著他，只是他還沒有遇見。

名單上的最後一個人，是名叫桃樂斯．庫博的老太太，住在城北大約四十公里外的一棟平房裡。年輕人傍晚開車出門，四十五分鐘後抵達。

庫博太太雖然已經八十七歲，但還在公會擔任婚姻顧問；她是一個活力充沛、朝氣十足的女人，而且，她顯然對自己的工作充滿熱情。她笑容開朗，寶藍色的眼睛閃閃發亮，身體健康硬朗。年輕人覺得她看起來似曾相識，彷彿自己在哪兒見過她。

庫博太太張開雙臂迎接他，說道：「感謝你的光臨，我希望這段路程不會太遠。」

「還好，我不到一個小時就到了。」年輕人說。

「請進來，別客氣，就當是自己的家。」庫博太太說著，引年輕人進入屋內。

「你看起來很面熟，」年輕人說，「我們在哪兒見過嗎？」

「不會是因為我的工作關係吧?!」庫博太太說，「我有時會幫婦女雜誌寫文章。」

庫博太太領著年輕人走進她的工作室，一間看起來像心理醫師諮詢室的房間。

「你要喝什麼？」她問道，「我有蘋果汁、柳橙汁，還有一些不同口味的茶。」

「柳橙汁好了。謝謝！」年輕人欠身回答。

庫博太太出去準備飲料，年輕人開始環視這間工作室。他對庫博太太的書印象深刻——排滿整整兩面牆，絕大多數跟心理學、人際關係和愛有關；房間牆壁粉刷成溫暖的桃色和水藍色系，擺放著一張大橡木桌、一張沙發和三張椅子，牆壁上掛著幾幅描繪日落和海洋景觀的畫作；稍遠的牆壁上掛著一塊金屬銘牌，上面的銘文看不清楚。當年輕人正準備起身過去看個仔細時，庫博太太捧著一個托盤進來了，托盤上放著一壺柳橙汁和兩個玻璃杯。

庫博太太坐在一張輕便的椅子上，遞給年輕人一杯果汁。

「我第一次學到愛的祕密，是五十年前的事了。」庫博太太說，「那時我結婚才兩年，卻很不快樂。丈夫只要離開一會兒，我就會不開心。他有時出去見朋友，或者打一場高爾夫球，我就會覺得沮喪。這聽起來很可笑，可是我認為他是在拒絕我，我們也為此爭辯了好幾次。如果他出門做什麼事，卻沒有我在場，我就會感覺被排斥、拒絕，但他說我這樣是想把他悶死。

「一個週末，事情終於發生了。那天我們去海邊度假，可是入住旅館不到十分鐘，我就跑了出去。因為我丈夫跟一個漂亮的金髮服務員相談甚歡，我很生氣，就和他在服務台前大吵起來。我的脾氣有時候真的不太好。最後，我衝了出去，跑進旅館的庭園，坐在庭園盡頭一張正對海岸的長條椅上。我就坐在椅子上哭泣，哭到眼珠子都快要掉出來了。我們原本刻意選在週末度假，就是希望藉此彌補彼此的關係，結果才幾分鐘就吵架了。

「不知道在那兒坐了多久，背後突然傳來一個聲音：『打擾了！你還好嗎？』我轉過頭去，看到一位中國老人站在我身後。

「我含糊地回答說：『我很好，謝謝。』

「他看看海，說：『很美！是吧？』

「我抬頭，看見天空在地平線處呈現出漂亮的猩紅色，的確很美，但我實在沒心情去欣賞夕陽，因為我太沮喪了。這時中國老人又開口了，他說：『在我國家有一種說法：每一段經歷都會帶來使我們的生命更豐富的課題。』我沒有說話，他繼續說：『即使彼此的關係出現問題，也要期待這一課題。』

「我看著他，心想，他一定聽到我和我丈夫的爭吵了。於是我說：『我知道你是出於好意，可是我實在……』

「『我以前有一個朋友，』他打斷我，繼續說道，『是一個美麗的女人，她跟一位很優秀的男士結了婚，他們瘋狂地愛著彼此。可是幾年後，兩人開始發生口角，幾乎每天都在吵。你知道問題的癥結在哪裡嗎？她不信任他，只要他不在她的視線範圍內，或跟別的女人說話，她就會猜疑、妒忌。久而久之，他感覺被困得快要窒息。最終，她的恐懼趕走了所愛的男人。』

「我問他：『她為什麼要這麼做？是有什麼原因吧？』

「『事實上沒有。她丈夫沒有做錯什麼，她只是很沒安全感罷了。這也情有可原，因為她父親用情不專，幾次外遇之後，終於拋棄了她和她的母親。生命中最重要的這個男人拋妻棄女，這使得她潛意識裡不再信任男人了。』

「我感到口乾舌燥，因為他說的好像就是我的故事。

「老人接著說：『我們在人際關係上的困難，通常都源自童年的經歷。』

「然後我對他說：『可能你是對的，我們都被童年的經歷掌控了。』

「『除非我們願意讓自己被掌控。』老人回答，『過去並不等於未來。無論過去的經歷怎樣，我們都擁有改變現狀的力量。』

「我問他，如果這個女人打算改變，她的婚姻可能得救嗎？老人告訴我說，不但她現在的婚姻已經得救，他們夫妻也比以前更恩愛。」

「『她是怎麼做到的？』

「『愛的祕密。』他說。

「我還沒有反應過來，他就遞給了我一張紙。我看到紙上寫了十個人名和電話號碼，當我再抬起頭，老人已經走了。

「我回到旅館的服務台，想打聽那位中國老人的房間幾號。我丈夫剛才搭訕的那位服務員仍在那兒，我為先前的失態向她道歉；她告訴我說，我丈夫只是問她可不可以推薦一家附近的餐廳，他想帶我出去享用一頓特別的晚餐，給我一個驚喜。老人說得對，是我的不安全感導致了現在的問題。

「我問她是否可以告訴我中國老人住在幾號房間，她卻說沒有中國人住在這裡，旅館也沒有中國籍工作人員。

「我回到房間，看到丈夫，他仍然十分沮喪。我為先前的無理取鬧向他道歉，並對誤會他表示慚愧。然後我告訴他與中國老人的偶遇，以及老人提到的『愛的祕密』。中國老人說過，我們不能再像前兩年一樣總是爭論、吵架，一定得改變現況。於是，回家之後我就開始打電話，聯繫紙條上那些人，並請問他們，老人所說是否真有可能。」

「什麼東西有可能？」年輕人問。

「我們都有改變現狀的力量。」

「然後呢？真的可以嗎？」年輕人問道。

「是的。那些愛的祕密都非常重要，幫助我們創造了愛和愛的關係。不過，其中一項祕密對我最有影響力，那就是『信任的力量』。」

「信任？這跟愛有什麼關係嗎？」年輕人說。

「當然有關係。簡而言之，如果不能信任對方，我們就無法付出愛。」

「為什麼不能？」年輕人問。

「因為沒有了信任，我們會變得多疑、緊張，並且害怕對方背叛，彼此的關係就會因此承受巨大的壓力：一方覺得緊張，另一方覺得遭到囚困。

「有件事你要記得，一旦你瞭解了愛的祕密，並希望這些祕密能改善你的生活，那麼，婚姻幸福成功的機率會成倍增長。如果你全心全意地對雙方的關係做出承諾，那麼，你們的婚姻一定可以穩定下來。如果你能跟伴侶進行良好的溝通，使對方明白你的愛，對方就不會覺得恐懼、猶疑或不信任。」

「你的意思是，如果不能信任對方，這關係就會毀滅？」

「絕對是的。如果無法確定是否要和對方廝守終生，你可以問自己一個問題：『我是不是完全信賴她？永不後悔？』如果答案為否，你恐怕得在許下承諾之前再慎重考慮。當然，雙方都必須這麼做，對方也要完全信任你才行。

「在愛的關係中，『信任』是非常重要的一項因素。這項學習對我來說是最寶貴的。你不但必須信任對方，同時要能夠信任這份關係本身。」

「什麼意思呢？」年輕人問道。

「有些人會對一份關係的結局感到憂慮，他們會想著：『這一切太美好了，簡直不像是真的。太完美的東西一定不會長久。』我的意思是，許多人對於婚姻感到很緊張，只因為離婚率年年攀升。他們在一段關係開始之前，就已經在自尋煩惱了。」

年輕人臉紅了。幾個星期前，中國老人也曾這樣對他說過。他清清喉嚨說：「是的，但是這些人也有自己的想法，不是嗎？」

「什麼想法？」庫博太太反問。

「離婚率那麼高，表示婚姻成功的機率並不高。不是嗎？」

「是的，不過婚姻成功的機率仍然高於離婚的機率。一心關注離婚的可能性，只會讓它更容易成真。所以，你要毅然信任這份關係，相信不論遇到任何事，這份關係都不會結束。」

「這樣有幫助嗎？」年輕人問。

「記住，思想和恐懼都是可以自我創建的。如果總想著可能出現問題，你的思想和恐懼會反射到行為上，最終就會真的出問題了。我就是這樣，因為不信任丈夫，於是讓妒忌感經常纏繞在心頭，幾乎迫使他離開我。」

「我明白你的意思了。」年輕人說。

「很多人在創建關係之前，就開始製造問題。可是，這無益於創造愛和快樂。唯一的方法，就是信任你自己、你的伴侶和你的生活。換言之，表現出信任，你的伴侶就沒有理由感到不安全。」

「可是，由於童年時的那種經歷，你又該如何學會信任呢？你恐怕需要幾年的心理治療吧？」年輕人問。

「不見得。請跟我來。」庫博太太帶領年輕人走到房間的另一頭，指著先前年輕人注意到的那塊金屬銘牌，上面的銘文是：「當我們改變，生命就隨之改變。」

「這是我所見過最有力量的一句話，意思是，我們不需要做過去的犧牲品，我們擁有改變一切的力量。如同中國老人所言：『過去不等於未來。』我們寫了一本有關生活的書，下一頁不需要跟前一頁相同啊！我們可以從新的章節開始寫起，這就是愛的祕密要我們做的事——改變！過去發生什麼事都不要緊，只要依循愛的祕密，你就能夠改變。

「我見過很多單身的人，意志消沉，認為永遠不可能找到恆久的愛。我也認識很多人，他們感覺被無愛、不快樂的關係所纏繞，他們甚至放棄了希望，變得茫然、痛苦且憤世嫉俗。

「他們認為自己是受害者，於是他們真的成了受害者，陷入孤獨、寂寞，期待有一天，有個特別的人會進入他們的生命，為他們改變一切。然而事實卻是，世界上唯一有力量改變你一切的人，不是別人，正是你自己。」

此時，門打開了，走進來一位老先生。庫博太太對年輕人介紹說，那是她的丈夫。當老先生脫下外套，年輕人立刻想起在哪裡見過庫博夫婦。

「我想起來了！」年輕人興奮地說，「你們是不是在大約一個月前，參加了馬克．艾金和蘇妮亞．史培德的婚禮？」

庫博先生一揚眉：「對，我們是參加了，為什麼這麼問呢？」

「我就是在那兒見到你們的。我看到你們一起跳舞，多恩愛啊！我那時還想著，到底有什麼秘訣可以讓你們這樣相愛到老。」

「現在你知道了吧?!」庫博太太笑道。

「你們也在婚禮上見到中國老人了嗎？」年輕人問道。

「中國老人在馬克和蘇妮亞的婚禮中出現？」庫博太太驚訝地喊道。

「我就是在那裡遇到了他啊！」年輕人說。

當晚，年輕人在睡覺前，又看了一遍這天的筆記：

信任的力量

- ♣信任是愛的關係的基本元素。沒有信任，人們會變得多疑、緊張、恐懼；另一方則會感覺被囚困，感到窒息。
- ♣除非完全信任別人，否則你無法全心全意愛他們。
- ♣以實際行動，表現出你要永遠維持雙方愛的關係。
- ♣要確定某人是否最適合你，方法就是問自己：「我完全信任他（她）嗎？永不後悔嗎？」如果答案為否，你需要在許下承諾前再慎重考慮。

尾聲

年輕人獨自坐著，觀察周圍的一切。眼前的這場婚宴不像他曾經參加過的那麼豪華，但全場有一種活潑、友善的氣氛，近百位客人都很盡興。當樂團開始奏樂，年輕人的思緒不禁回到兩年前遇到中國老人的那場婚禮。當時他對愛情是多麼不屑啊！他不自覺地笑了。

他還記得自己拜訪過的那些人。雖然他們的話聽起來都很真誠且發人深省，但他還是有些懷疑。他不確定愛的祕密在自己身上是否可行，但毫無疑問，對其他人都蠻有效的：那些跟他一樣，尋找愛情多年的人；那些對生活失去目標，孤獨冷酷地活著的人；甚至，那些發現自己陷入憂鬱、煩惱的關係中的人。

年輕人在一本小記事本上寫了三頁，節錄下愛的祕密法則，以及它們如何為生命創造截然不同的改變；他隨身帶著記事本，好讓自己可以隨時想起這些祕密，特別是在困難時激勵自己，並隨時把它們傳遞給其他人。

這些節錄的重點是：

愛的十個祕密——為你的生活創造愛

1.選擇愛的思想。
2.學會尊重自己和他人。
3.專注於自己能付出什麼，而不是得到什麼。
4.要找到愛，先尋找朋友。
5.擁抱人們。張開你的手臂，敞開你的心胸。
6.捨棄恐懼、偏見和批判。
7.與別人溝通你的感受。
8.承諾——讓愛成為你的首要之務。
9.熱情地活著。
10.信任自己，信任他人，信任生活。

愛的十個祕密——如何認出你生命中的伴侶

1.他（她）在外貌、個性、才智和精神上的特質，是否符合你對理想伴侶的要求？
2.你尊重他（她）嗎？
3.你能夠為他（她）付出什麼？
4.他（她）是你最好的朋友嗎？你們有共同的目標、理想、價值觀和信仰嗎？
5.當你們擁抱彼此，你會產生擁有的願望嗎？
6.你是否能給予彼此成長的空間與自由？
7.你們能夠誠實且開放地溝通嗎？
8.你們對這份關係是否都有所承諾？
9.你是否對他（她）以及雙方關係懷有強烈的熱情？他（她）對你的意義是否重大？
10.你們彼此完全信任嗎？

愛的十個祕密——如何把愛帶入你的關係

1. 設身處地想想伴侶的需要和期望。
2. 學會尊重自己和伴侶。問自己：「我有什麼是值得自己敬重的？」以及「我的伴侶有什麼地方值得我敬重？」
3. 想想你應該為這份關係付出什麼，而不要想著應該從中獲得什麼。
4. 和伴侶交朋友，找出雙方共同的興趣和追求。
5. 深情地擁抱、接觸你的伴侶，並向對方張開雙臂。
6. 捨棄過去，並且寬恕，從新開始。
7. 開放而誠實地與對方溝通你的感受。
8. 對這份關係做出承諾。把伴侶放在內心排序的第一位。
9. 在關係中重新創造熱情。
10. 信任你的伴侶，信任你們的關係，堅信這對關係永遠不會結束。

當年輕人把這些愛的祕密融入生活中，他發現，一切都在悄然改變；從外表看不出有什麼特別、具體的變化，也無法衡量，然而，重要、意義深遠的改變卻已經真實發生了。

年輕人的家人、朋友，甚至同事們都注意到了他的不同；他總是以張開的雙臂和擁抱來迎接他們，而不再用正式的握手；他和人們談話的態度也變了，他專心地、謙恭地和他們交談，並注視著對方的眼睛；他給他們更多時間表達自己的興趣，並且真誠地關懷他們；他提醒自己記得別人的生日，打電話給一些很久沒見面的朋友，不只是為了說聲「嗨！」還讓他們知道，他一直記掛著他們。

最奇妙的是，他還會做一些發自內心的仁慈行為，這些事對現在的他而言，已經不值一提了。他經常會買一束花，默默地送給街頭的陌生人，只是因為喜歡看到別人因驚喜而愣住的表情，他光是看到人們微笑，就感到開心。

朋友們發現，他不再整天發瘋似地想找個人來愛。他們都不知道，這個年輕人現在只專注於如何去愛，並且深信，愛會在最適當的時間、最適當的地方，來到他身邊，那時，他將遇見夢想中的女孩。

一些同事和朋友問他，到底是什麼改變了他，是新的宗教信仰嗎？還是他變富有了？或是他吃了什麼可以使心情亢奮的藥物？當他告訴別人關於他和中國老人相遇的故事，以及那些愛的祕密時，有些人相信他。他們認真聽了他的故事，幾個月之後，竟然都打電話給他，謝謝他告訴他們這些事，因為那些祕密也改變了他們的生活。

接著，一件很棒的事情發生了。一天晚上，他在家裡接到一個年輕女人的電話，詢問可不可以跟他見面。她說有位中國老人把他的電話號碼給了她。

「和愛的祕密有關。」她說。

第二天，他們見面了，而他竟然馬上被她吸引了。不僅因為她那溫柔的眼睛和漂亮的臉蛋，更因為談話時，他感覺遇到了一個心靈相通的人，一個他可以自由自在傾訴內心的人。

現在，她正走向他，伸出手來，她的容貌正如她溫柔而善良的心一樣美麗。此時，他感覺身邊充滿了愛，一切都在圍繞著他倆，緩緩地移動；他看著她，幾乎有一刻停止了呼吸。這一刻，他終其一生都刻骨銘心，他終於瞭解到，什麼才是源源不絕的愛。

這是他夢寐以求的時刻。可是，在認識中國老人之前，他不相信自己會擁有這一刻。年輕人一直想再遇見那位老人，只為了謝謝他，至少讓老人知道，自己的生命因他而發生轉變，以及他多麼希望能邀請老人來參加他的婚禮。

當他牽著她的手走向舞池時，客人們都起立歡呼、拍手。他穿著正式的灰色禮服，握著她的手，所有人的目光都集中在他身邊的麗人身上。她穿著式樣簡單、高貴的短袖白緞婚紗，驚豔的氣質被自然而然地襯托出來。

當他們走到舞池中央，轉身面對彼此，深深地注視著對方的眼睛時，歡呼和口哨聲又此起彼落地響起，樂隊也開始奏起音樂。

年輕人微笑著抬頭看向家人和朋友，他們正在幾步之外不停地鼓掌歡呼。當他環視大廳，立刻注意到一個身影——大廳後方出口處站著一個人。是他！中國老人正獨自站在那兒，微笑著。

愛的祕密箴言

☘如果你希望得到愛，就先付出愛。

你給予愈多，得到愈多。

♣讓你所愛的人知道你愛他們、感激他們。永遠別害怕說出這三個神奇的字眼：我愛你！

♣持久的熱情並非來自於肉體的吸引力，而是來自深層次的承諾、關懷和興趣。

關於你的愛的祕密

你也在尋找那位中國老人嗎？

其實，他已經來過了，還交給你一個任務——

寫下你關於愛的祕密，同時散播四方！

國家圖書館出版品預行編目資料

愛的祕密／亞當・傑克遜（Adam J. Jackson）著；周思芸譯. --——初版. ——臺北市：商周出版：家庭傳媒城邦分公司發行, 2009.01
面； 公分. ——（View point；25）
譯自：The secrets of abundant love
ISBN 978-986-6571-83-1（平裝）

1. 愛 2.兩性關係

199.8 97023029

View point 25

愛的祕密

The Ten Secrets of Abundant Love

作　　者／亞當・傑克遜（Adam J. Jackson）
譯　　者／周思芸
企畫選書人／彭之琬
責任編輯／徐藍萍

版　　權／林心紅
行銷業務／蘇魯屏、賴曉玲
總 編 輯／彭之琬
總 經 理／黃淑貞
發 行 人／何飛鵬
法律顧問／台英國際商務法律事務所 羅明通律師
出　　版／商周出版
台北市104民生東路二段141號9樓
電話：(02) 25007008　傳真：(02)25007759
E-mail：bwp.service@cite.com.tw
發　　行／英屬蓋曼群島商家庭傳媒股份有限公司 城邦分公司
台北市中山區民生東路二段141號2樓
書虫客服服務專線：02-25007718；25007719
服務時間：週一至週五上午09:30-12:00；下午13:30-17:00
24小時傳真專線：02-25001990；25001991
劃撥帳號：19863813；戶名：書虫股份有限公司
讀者服務信箱：service@readingclub.com.tw
城邦讀書花園：www.cite.com.tw
香港發行所／城邦（香港）出版集團有限公司
香港灣仔駱克道193號東超商業中心1樓_ E-mail:hkcite@biznetvigator.com
電話：(852) 25086231　傳真：(852) 25789337
馬新發行所／城邦（馬新）出版集團【Cite (M) Sdn. Bhd. (458372U)】
11, Jalan 30D/146, Desa Tasik, Sungai Besi,
57000 Kuala Lumpur, Malaysia
電話：（603）90563833　傳真：（603）90562833

封面設計／黃心磊
排　　版／極翔企業有限公司
印　　刷／韋懋印刷事業有限公司
總 經 銷／聯合發行股份有限公司 電話：(02) 29178022　傳真：(02) 29156275

■2009年01月01日初版
■2012年04月12日初版8.5刷
Printed in Taiwan
定價99元

城邦讀書花園
www.cite.com.tw

 ISBN 978-986-6571-83-1（平裝）